AUCASSIN ET NICOLETTE

AUCASSIN ET NICOLETTE

and

FOUR LAIS OF MARIE DE FRANCE

EDITED WITH INTRODUCTION, NOTES
AND VOCABULARY

BY

EDWIN B. WILLIAMS

Professor of Romance Languages
University of Pennsylvania

F. S. CROFTS & Co.
New York
1933

MANUFACTURED IN THE UNITED STATES OF AMERICA
BY THE VAIL-BALLOU PRESS, INC., BINGHAMTON, N. Y.

PREFACE

A great deal of contemporary French literature has been offered in recent years in the form of texts for classroom use. The purpose of the present volume is to give the student a glimpse of what this great literature was in its beginnings. Nothing could be more suitable for this purpose than the texts presented here. *Aucassin et Nicolette* has become a part of world literature; the *lais* of Marie de France also belong to world literature, treating as they do of the legends of King Arthur, of Tristan, etc., with which every student should be familiar.

Besides, these stories are particularly well suited for teaching purposes because of their simple language and the frequent repetition of simple phrases, sometimes word for word, sometimes with slight alterations. The vocabulary is small and easy except for occasional archaisms which are explained in the notes or indicated in the vocabulary.

The Torelore episode in *Aucassin et Nicolette* was omitted by the translator. A few other slight excisions have been made to render the texts more suitable for the classroom. The imperfect and conditional endings in *-ois*, etc., used by the translator of *Aucassin et Nicolette* to give an archaic touch to his work, have been changed to -*ais,* etc.

The editor wishes to thank M. H. Piazza and Professor Paul Tuffrau, publisher and translator respectively of *Les Lais de Marie de France* for their generosity in granting him the right to use four of the *lais* in the present edition.

E. B. W.

CONTENTS

INTRODUCTION

In the twelfth century France was a country divided into many provinces ruled by practically independent barons. The civilized world had become profoundly Christianized at the expense of almost the whole wealth of pagan culture that antiquity had bequeathed to it.

In this society of feudalism and the church, the nobles and the clergy were dominant. There was a king, to be sure, but his power was little more than that of any of his nobles; and there was the people, but they were for the most part serfs.

Out of the feudal relationship of knight to liege developed the military institution known as chivalry. But chivalry was to become something more; a new relationship arose, that of the knight to his lady, and from this, the concept of courtly love (*l'amour courtois*).

The medieval knight, accordingly, had three loyalties: to God, to his liege, and to his lady. New literary *genres* developed in succession corresponding to each of these loyalties: first, in the tenth century, the lives of saints, the earliest poems written in the French language; second, in the eleventh century, the great popular epics known as *chansons de geste;* and third, in the twelfth century, the romances of chivalry, the Breton *lais* and *Aucassin et Nicolette.*

The romances of chivalry are long narrative poems chiefly distinguished by the element of courtly love. The principal writer of romances of chivalry was Chrétien de Troyes.

It is not known who the author of *Aucassin et Nicolette* was. Scholars believe he was a native of Arras in north-eastern France and lived in the latter part of the twelfth century. He called his work a *chante-fable.* No other *chante-fables* have come down to us but it is thought that *Aucassin et Nicolette* was only one of many similar compositions.

The work was probably written to be performed in public by several persons. It consists of alternate passages of prose and verse. The latter, which are provided with musical notation, were sung to the accompaniment of the *vielle.* They are of a highly lyrical quality and often continue the narrative of the prose sections, presenting when so used the more picturesque scenes and more stirring episodes.

The scene is laid in Provence. But the author shows little knowledge of the country. He places the castle of Beaucaire on the sea and near a forest filled with lions and wild boars; he, furthermore, makes Aucassin and Garin counts of Beaucaire, which was never the province of a count. All this does not matter except in so far as it discredits any notion that the work is a translation of a Provençal original. Some have thought that the tale came from the East because of supposed Byzantine characteristics while others incline to belief in a Moorish source with a Spanish setting, probably Valencia.

Aucassin et Nicolette, one of the great poems of Old French literature and one of the famous love stories of all time, has become in the translation of Andrew Lang a masterpiece of English literature. Many fine translations have been made into other languages and into modern French. Our translator, Alexandre Bida (1823–1895) was more famous for his sketches than his verse. But he has, as Gaston Paris observes, preserved with uncommon felicity the spirit and complete charm of the original.

We are more fortunate in knowing at least the name of the author of some of the *lais* of the twelfth century. However, little is known about the life of Marie de France. In one of her poems she tells us that her birthplace was in or near the Ile de France; it was probably Normandy. She spent a large part of her life in England and is thought to have been the half-sister of Henry II of England, to whom she dedicated her *lais*. It is interesting to recall that this king, who was married to Eleanor of Aquitaine, ruled over a court that was thoroughly French in both language and manners. It is fairly certain that all of Marie's writing was done in the second half of the twelfth century.

Her work consists chiefly of *fables* and *lais*. She obtained the material for the latter as well as the very name of *lai* from the tales which Breton minstrels sang at the Norman and French courts. Joseph Bédier thinks that these *lais* were partly recited and partly sung, in the manner of *Aucassin et Nicolette*. However, Marie's own *lais* were presumably written to be read; it is significant that she sometimes referred to them as *contes*.

Not more than thirty *lais* have come down to us. Twelve or thirteen of them were written by Marie. These may be divided into two groups: first, the *lais féeriques* or romantic fairy-stories, in which we find a girl-swan, a magic ship, a werewolf, fairies, etc.; and second, the more realistic *lais,* which, without the fabulous element, treat of love in the same romantic fashion. *Lanval,* based on the legend of King Arthur, belongs to the first group, while *Le Chèvrefeuille, Les Deux Amants,* and *Le Laüstic* belong to the second.

Le Chèvrefeuille deserves special mention because it is an episode of the celebrated story of *Tristan et Iseut.* Two Old French romances, based on this story, were written in the twelfth century. That of Thomas, preserved in incomplete form, inspired in its German translation the great music drama of Richard Wagner, while that of Béroul, likewise incomplete, formed the basis of the admirable reconstruction which Bédier has written in modern French. The romance of Chrétien de Troyes, which dealt with the early part of the story, has unfortunately been lost.

AUCASSIN ET NICOLETTE

AUCASSIN ET NICOLETTE

Chant

Qui veut écouter aujourd'hui
Les vers qu'un captif misérable
A faits pour charmer son ennui?
C'est l'histoire très mémorable
De deux enfants, couple charmant,   5
D'Aucassin et de Nicolette.
Vous y verrez quel gros tourment
Au jouvenceau, son cher amant,
Causa l'amour de la fillette.
Doux est le chant, beaux sont les vers,   10
Et le récit du vieux poète,
Savant, instructif et divers,
N'a rien qui ne soit fort honnête.
Nul n'est si dolent, si marri,
De si grand mal endolori,
Si navré de tristesse noire,   15
Que, s'il veut ouïr cette histoire,
Il n'en soit aussitôt guéri,
    Tant elle est douce.

3

RÉCIT

Le comte Bougars de Valence faisait au comte Garin de Beaucaire une guerre si grande, si terrible et si mortelle qu'il ne passait pas un seul jour sans se présenter aux portes, aux murs et aux barrières de la ville avec cent
5 chevaliers et dix mille sergents à pied et à cheval. Il lui brûlait sa terre, lui ruinait son pays et lui tuait ses hommes. Le comte Garin de Beaucaire était vieux et faible; il avait fait son temps. Il n'avait aucun héritier, ni fils ni fille, si ce n'est un jeune garçon qui était tel que
10 je vais vous le dire. Le damoiseau s'appelait Aucassin. Il était beau, gentil et grand, bien en jambes et en pieds, bien aussi de corps et de bras. Il avait les cheveux blonds et frisés en petites boucles, les yeux vairs et riants, le visage clair et délicat, le nez haut et bien planté. Et il
15 était si bien doué de toutes bonnes qualités qu'il n'y en avait en lui de mauvaise: mais il était si rudement féru d'amour, qui tout vainc, qu'il ne voulait ni être chevalier, ni prendre les armes, ni aller aux tournois, ni rien faire de ce qu'il devait. Son père et sa mère lui disaient:

20 —Fils, prends tes armes, monte à cheval, défends ta terre et viens en aide à tes hommes. S'ils te voient parmi eux, ils défendront mieux leurs corps et leurs biens, ta terre et la mienne.

—Père, fait Aucassin, que dites-vous là? Dieu ne
25 m'accorde jamais rien de ce que je lui demande, si je deviens chevalier, monte à cheval et vais à la bataille où je pourrai frapper ou être frappé, avant que vous m'ayez donné Nicolette, ma douce amie, que tant j'aime.

—Fils, dit le père, cela ne se peut. Laisse là Nicolette.

4

C'est une captive qui fut amenée d'une terre étrangère.
Le vicomte de cette ville l'acheta des Sarrasins et l'amena
ici. Il l'a tenue sur les fonts, baptisée et faite sa filleule;
il lui donnera un de ces jours un bachelier qui lui gagnera
honorablement son pain. Tu n'as que faire d'elle; et, si   5
tu veux prendre femme, je te donnerai la fille d'un roi ou
d'un comte. Il n'y a si grand seigneur en France qui ne
te donne sa fille, si tu la veux.

    —Ma foi, père, fait Aucassin, y a-t-il aujourd'hui en ce
monde si haut rang que, si Nicolette, ma très douce amie,   10
y était placée, elle ne s'en trouvât digne? Si elle était
impératrice de Constantinople ou d'Allemagne, reine de
France ou d'Angleterre, ce serait encore assez peu pour
elle, tant elle est noble, honnête et bonne, et douée de
toutes bonnes qualités.   15

CHANT

Aucassin était de Beaucaire,
D'un castel au noble séjour;
Nul ne le peut jamais distraire
De son cruel et cher amour.
Son père toujours le querelle;   20
Et sa mère:—Méchant, dit-elle,
Que prétends-tu donc? J'en conviens,
Nicolette est honnête et belle,
Mais d'une terre de païens
En ce pays elle est venue,   25
Par d'impurs Sarrasins vendue.
Puisque femme tu veux choisir,
Prends donc fille de haut parage.
—Mère, ce n'est pas mon désir:

5

Nicolette est gentille et sage;
Pur est son cœur, beau son visage,
Il est juste que j'aie un jour
Et son beau corps et son amour,
5   *Qui tant m'est douce.*

RÉCIT

Quand le comte Garin de Beaucaire voit qu'il ne peut distraire son fils Aucassin de l'amour de Nicolette, il va trouver le vicomte de la ville, qui était son vassal, et lui parle ainsi :

10 —Sire vicomte, faites disparaître Nicolette, votre filleule. Maudite soit la terre d'où elle est venue en ce pays ! Car à cause d'elle je perds Aucassin, qui ne veut pas devenir chevalier, ni rien faire de ce qu'il doit. Et sachez bien que si je puis m'emparer d'elle, je la ferai brûler vive, et vous-15 même pourrez avoir grand'peur pour vous.

—Sire, fait le vicomte, j'ai regret qu'Aucassin aille et vienne et cherche à lui parler. J'ai acheté cette fille de mes deniers, je l'ai tenue sur les fonts et baptisée et faite ma filleule. Je lui aurais donné un bachelier qui lui aurait 20 gagné honorablement son pain. Votre fils Aucassin n'aurait eu que faire d'elle. Mais, puisque c'est votre volonté et votre plaisir, je l'enverrai en tel pays et en tel lieu que jamais il ne la verra de ses yeux.

—Prenez garde à vous, fait le comte Garin : grand mal 25 vous en pourrait advenir !

Ils se quittent. Le vicomte était très riche : il avait un beau palais donnant sur un jardin. Il y fait enfermer Nicolette dans une chambre de l'étage le plus élevé, et il place près d'elle une vieille femme pour lui tenir compagnie.

Il fait apporter pain, viande et vin, et tout ce dont elles peuvent avoir besoin. Puis, il fait sceller la porte afin qu'on ne puisse y entrer ni en sortir, et tout fermer, à l'exception d'une fenêtre toute petite qui donnait sur le jardin, par où venait un peu d'air pur.

5

CHANT

> *Donc Nicolette fut jetée*
> *Dans une grand'chambre voûtée,*
> *Bien bâtie et peinte à ravir;*
> *Mais ce n'était pour son plaisir.*
> *Elle vint près de la fenêtre,*   10
> *Et regarda dans le jardin.*
> *Quand elle vit en son chagrin*
> *Les belles fleurs prêtes à naître,*
> *Et dans l'ombre des verts rameaux*
> *S'appeler les petits oiseaux,*   15
> *Alors Nicole la blondine*
> *Se sentit vraiment orpheline.*
> *—Ah! Seigneur, pourquoi suis-je ici?*
> *Mon damoiseau, mon cher souci,*
> *Or vous savez que je vous aime;*   20
> *Et je sais bien que, Dieu merci,*
> *Je ne vous déplais pas moi-même.*
> *Ami, c'est donc pour votre amour*
> *Que l'on m'a mise en ce séjour,*
> *Où je traîne une triste vie;*   25
> *Mais, par Dieu, le Fils de Marie,*
> *Bien longtemps je n'y resterai;*
> *Et sûrement j'en sortirai*
>   *S'il se peut faire.*

7

RÉCIT

Nicolette était en prison, comme vous l'avez ouï et entendu, dans cette grand'chambre. Le bruit se répandit par tout le pays que Nicolette était perdue. Les uns disaient qu'elle s'était enfuie hors du territoire, les autres
5 que le comte Garin de Beaucaire l'avait fait mourir. Si quelqu'un en fut joyeux, Aucassin en eut un grand chagrin. Il va trouver le vicomte de la ville et lui parle ainsi:

—Sire vicomte, qu'avez-vous fait de Nicolette, ma très douce amie, la chose que j'aimais le plus au monde? Me
10 l'avez-vous ravie? Sachez bien que, si j'en meurs, compte vous en sera demandé; et ce sera bien juste, car vous m'aurez tué de vos deux mains, en m'enlevant ce que j'aimais le plus au monde.

—Beau sire, fait le comte, laissez cela. Nicolette est une
15 captive que j'amenai de la terre étrangère. Je l'achetai des Sarrasins de mes propres deniers. Je l'ai tenue sur les fonts et baptisée et faite ma filleule. Je l'ai nourrie, et je lui aurais donné un de ces jours un bachelier qui lui aurait gagné honorablement son pain. Ce n'est pas votre affaire.
20 Mais prenez plutôt la fille d'un roi ou d'un comte. Au surplus, que croiriez-vous avoir gagné si vous l'aviez prise pour maîtresse et mise dans votre lit? Vous y feriez peu de profit; car pendant toute l'éternité votre âme serait en enfer, et vous n'entreriez jamais en paradis.

25 —Qu'ai-je à faire en paradis? Je n'y désire entrer, mais bien avoir Nicolette, ma très douce amie que tant j'aime. Car en paradis ne vont que telles gens que je vais vous dire: de vieux prêtres, de vieux éclopés et manchots qui, nuit et jour, se traînent devant leurs autels

8

et dans leurs vieilles cryptes; et puis ceux qui portent ces vieilles chapes usées et sont vêtus de ces vieilles robes de moines, ceux qui vont nus et sans chaussures, couverts de tumeurs et mourant de faim et de soif, de froid et de misère. Ceux-là vont en paradis; je n'ai que faire avec 5 eux: mais bien en enfer veux-je aller; car en enfer vont les beaux clercs et les beaux chevaliers qui sont morts aux tournois et aux belles guerres, et les bons écuyers et les gentils-hommes. Avec ceux-là veux-je bien aller. Là vont aussi les belles et honnêtes dames qui ont deux ou 10 trois amis avec leurs barons. Là va l'or, l'argent, les fourrures de vair et de gris, et les joueurs de harpe, et les jongleurs, et les rois du monde. Avec ceux-là veux-je bien aller, pourvu que j'aie Nicolette, ma très douce amie, avec moi. 15

—Certes, fait le comte, vous en parlez en vain: jamais ne la reverrez. Et si vous lui parliez et que votre père vînt à le savoir, il nous brûlerait vifs, elle et moi, et vous-même pourriez avoir grand'peur pour vous.

—Cela m'afflige, dit Aucassin. 20

Et tout triste, il quitte le vicomte.

Chant

Aucassin, morne et désolé,
Sans plus parler s'en est allé.
De son amie au blanc visage
Qui donc pourrait le consoler?
Semblablement, quel homme sage 25
Oserait bien le conseiller?
Vers le riche palais du comte

Il s'en retourne lentement;
Lentement les degrés il monte,
Et, pour songer à ses malheurs,
Seul, dans sa chambre il se renferme.
5 *Là ce furent des cris, des pleurs,*
Et des regrets et des douleurs,
Qu'on n'en saurait prévoir le terme.
—O Nicolette, ô mon amour,
Au doux aller, au doux retour,
10 *Au doux maintien, au doux langage,*
Aux doux baisers, au doux visage,
Au front blanc plus pur que le jour,
Pour vos beaux yeux mon âme est pleine
De tant de deuil et de tourment
15 *Que jamais d'une telle peine*
Je ne pourrai sortir vivant,
Ma sœur amie.

Récit

Pendant qu'Aucassin était ainsi dans sa chambre à
regretter Nicolette sa mie, le comte de Valence, qui avait à
20 soutenir sa guerre, ne s'oubliait point. Il avait mandé ses
hommes de cheval et de pied. Il se dirige donc vers le
château pour l'assaillir. Le bruit s'en répand, et les
chevaliers et les sergents du comte Garin s'arment et
courent aux murs et aux portes pour défendre le château.
25 Et les bourgeois montent aux créneaux et jettent carreaux
et pieux aigus. Pendant que l'assaut était le plus vif, le
comte de Beaucaire vient à la chambre où Aucassin

10

menait deuil et regrettait Nicolette, sa très douce amie,
que tant il aimait.

—Ha! fils, dit-il, es-tu assez malheureux et faible de
voir ainsi assaillir ton château, le meilleur et le plus fort!
Or sache bien, si tu le perds, que tu es déshérité. Fils, 5
allons, prends tes armes, monte à cheval et défends ton
bien, prête main-forte à tes hommes et va à la bataille.
Point n'est besoin que tu frappes un homme ou qu'un
autre te frappe. Si nos vassaux te voient au milieu d'eux,
ils défendront mieux leur avoir et leurs corps, ta terre et 10
la mienne, et tu es si grand et si fort que, puisque tu le
peux faire, faire le dois.

—Père, dit Aucassin, que dites-vous là? Que Dieu ne
m'accorde rien de ce que je lui demande, si je me fais
chevalier, monte à cheval et vais à la bataille où je frappe 15
chevaliers ou chevaliers me frappent, avant que vous
m'ayez donné Nicolette, ma douce amie que tant j'aime.

—Fils, dit le père, c'est impossible. J'aimerais mieux
perdre tout ce que j'ai que te la donner pour femme.

Il s'en va. Et quand Aucassin le voit s'en aller, il le 20
rappelle.

—Père, fait Aucassin, venez çà. Je vous ferai une
proposition.

—Laquelle, beau fils?

—Je prendrai les armes et j'irai à la bataille, à la 25
condition que si Dieu me ramène sain et sauf, vous me
laisserez voir Nicolette, ma douce amie, le temps de lui
dire deux ou trois mots et de lui donner un seul baiser.

—Je l'octroie, fait le père.

Il lui en donne sa parole, et rend son fils heureux. 30

11

CHANT

Aucassin, sur cette promesse,
Eut le cœur si rempli d'ivresse
Que, pour cent mille marcs d'or pur,
Il n'eût pas donné, j'en suis sûr,
5   *L'espoir de si douce caresse.*
Il appelle son écuyer
Et pour la bataille il s'apprête:
L'épée au flanc, le casque en tête,
Il monte sur son destrier.
10   *Avec l'écu sur sa poitrine*
Et sa forte lance en son poing,
Je vous jure qu'on ne vit point
Chevalier de plus fière mine.
De son amie il se souvient,
15   *Pique son cheval, qui s'élance,*
Et le front haut, haute la lance,
Tout droit à la porte il s'en vient,
   A la bataille.

RÉCIT

Aucassin s'avance, armé, sur son cheval, comme vous
20 l'avez ouï et entendu.   Dieu! comme son armure lui va
bien, l'écu au col, le heaume en tête et les glands de son
épée sur sa hanche gauche!   Et le jeune varlet est grand
et fort, beau et bien fait, et le cheval qu'il chevauche vif
et rapide; et il l'a bien dirigé par le beau milieu de la
25 porte.   Or ne croyez pas qu'il songe à prendre bœufs,
vaches ni chèvres, à tuer un chevalier ou qu'un chevalier

le peut tuer. Nenni: il n'y pense pas, mais rêve tant à
Nicolette, sa douce amie, qu'il oublie ses rênes et ce qu'il
vient faire. Et le cheval, qui avait senti l'éperon, l'emporte dans la mêlée. Il se lance jusqu'au milieu des
ennemis, qui jettent de toutes parts les mains sur lui et le ₅
prennent. Ils lui enlèvent son écu et sa lance, l'emmènent
soudain prisonnier et allaient déjà s'entretenant de quelle
mort ils le feraient mourir. Alors seulement Aucassin
les entend: —Ha! Dieu, fait-il, douce créature! Voilà
les ennemis qui m'emmènent et qui vont me couper la ₁₀
tête! Et une fois que j'aurai la tête coupée, jamais je ne
parlerai à Nicolette, ma douce amie que tant j'aime!
J'ai encore là ma bonne épée et suis assis sur mon bon
cheval tout frais; et si je ne me défends maintenant pour
elle, et qu'elle continue à m'aimer, que Dieu ne lui vienne ₁₅
jamais en aide!

Le jeune varlet est grand et fort, le cheval qui le porte
est ardent. Or il met la main à l'épée et commence à
frapper à droite et à gauche. Il coupe heaumes et nasals,
poings et bras, et fait autour de lui une tuerie comme le ₂₀
sanglier fait des chiens qui l'assaillent en forêt. Il leur
abat dix chevaliers, en navre sept, s'échappe de la mêlée
et revient au galop, l'épée en main. Le comte Bougars de
Valence, ayant entendu dire qu'on allait pendre son
ennemi Aucassin, vient de ce côté. Aucassin l'avise, il ₂₅
lève son épée et le frappe sur son heaume si rudement
qu'il le lui enfonce sur la tête. Le comte est si étourdi
du coup qu'il tombe à terre. Aucassin allonge le bras, le
saisit, l'emmène prisonnier par le nasal de son heaume et
le conduit à son père. ₃₀

—Père, fait Aucassin, voici votre ennemi qui vous a

13

tant fait guerre et mal. Voilà vingt ans que dure cette guerre que jamais homme ne put finir.

—Beau fils, dit le père, voilà comment tu dois débuter dans la chevalerie, et ne plus songer à tes folies.

5 —Père, répond Aucassin, n'allez pas me sermonner, mais tenez votre promesse.

—Hé! quelle promesse, beau fils?

—Quoi! père, l'avez-vous oubliée? Par mon chef, qui que ce soit qui l'oublie, moi je ne la veux oublier; car elle me 10 tient fort au cœur. Or ne m'avez-vous pas promis, quand j'ai pris les armes et que je suis allé à la bataille, que, si Dieu me ramenait sain et sauf, vous me laisseriez voir Nicolette, ma douce amie, le temps de lui dire deux ou trois mots, et de lui donner un seul baiser? Me l'avez-15 vous promis? Et je veux que vous me teniez parole.

—Moi! fait le comte, que Dieu ne me vienne en aide si je tiens une pareille promesse. Et si cette fille était là, je la ferais brûler vive, et vous-même pourriez avoir grand'peur.

20 —Est-ce fini? dit Aucassin.

—Si Dieu m'aide, fait le père, oui.

—Certes, fait Aucassin, je suis bien grandement fâché de voir qu'un homme de votre âge ment. —Comte de Valence, je vous ai fait prisonnier?

25 —Oui, sire, certainement, fait le comte.

—Donnez-moi votre main.

—Sire, volontiers.

Et il met sa main dans celle d'Aucassin.

—Me jurez-vous, dit Aucassin, que tout le temps que 30 vous serez en vie, si vous trouvez moyen de faire honte à

14

mon père, ou dommage en son corps ou en ses biens, vous
ne manquerez pas de le faire?

—Pour Dieu, sire, ne vous moquez pas de moi. Mais
mettez-moi à rançon. Vous ne sauriez me demander tant
d'or ou d'argent, chevaux ou palefrois, ni vair ni gris, 5
chiens ni oiseaux, que je ne vous les donne.

—Hé! fait Aucassin, ne reconnaissez-vous pas que vous
êtes mon prisonnier?

—Sire, oui, je le reconnais.

—Donc, Dieu ne m'aide jamais si je ne vous fais sauter 10
la tête, à moins que vous ne me le juriez.

—Au nom de Dieu, je vous jure tout ce qu'il vous
plaira.

Et il jure. Et Aucassin le fait monter sur un cheval,
il monte sur un autre, et il le conduit jusqu'à ce qu'il soit 15
en sûreté.

CHANT

Quand le comte Garin vit bien
Qu'il ne pouvait par nul moyen
De Nicolette au blanc visage
Détacher son fils Aucassin,   20
Il crut prudent, en homme sage,
De le mettre en un souterrain
Bien solide, sombre et malsain.
Lorsque, par l'ordre de son père,
Il se voit dans cette misère,   25
Le jouvenceau se désespère
Et pleure ce que je vous dis:

15

—Nicolette, ô ma fleur de lys,
O douce amie au blanc visage,
Tu m'es plus douce que raisin
Et que nul fruit, et que breuvage
5   Servi dans un vase d'or fin.
Un jour je vis un pèlerin
Qui s'en venait du Limousin:
Il était frappé de vertige.
Il gisait couché dans un lit
10   Sans voix, sans souffle, déconfit
Et mal en point.   Mais, ô prodige!
Près du lit tu vins à passer;
Tu soulevas, sans y penser,
Ta robe et ton manteau d'hermine,
15   Et ta chemise de blanc lin;
Il aperçut ta jambe fine,
Et fut guéri le pèlerin:
Du lit il se leva sur l'heure
Et retourna, gaillard et sain,
20   En son pays de Limousin.
Douce amie, ô toi que je pleure,
Ma Nicolette, ô mon amour,
Au doux aller, au doux retour,
Au doux maintien, au doux langage,
25   Aux doux baisers, au doux visage,
Au front blanc plus pur que le jour,
Contre toi quelle âme inhumaine
Pourrait se sentir de la haine?
C'est pour vous que je suis ici
30   Dans la misère et le souci;
Et quelqu'un de ces jours sans doute,

16

> *Las de pleurer et de souffrir,*
> *Sous cette triste et sombre voûte*
> *Je vois qu'il me faudra mourir*
> *Pour vous, amie.*

RÉCIT

Donc, Aucassin fut mis en prison, comme vous l'avez ouï et entendu, et Nicolette était d'autre part en sa chambre. C'était le temps de l'été, au mois de mai, où les jours sont longs, et les nuits tranquilles et douces. Nicolette était couchée sur son lit. Elle vit la lune luire clair par la fenêtre et elle entendit le rossignol chanter dans le jardin, et il lui souvint d'Aucassin, son ami, qu'elle aimait tant. Elle se mit à réfléchir au comte Garin de Beaucaire qui la haïssait cruellement; elle pensa qu'elle ne pouvait pas rester là, que si quelqu'un la dénonçait et que le comte Garin vînt à le savoir, il la ferait mourir de male mort. Elle vit que la vieille qui était avec elle dormait. Elle se leva, se vêtit d'un très bon sarrau de drap de soie qu'elle avait, prit les draps de son lit et des nappes, les noua ensemble, fit une corde aussi longue qu'elle put, l'attacha au pilier de la fenêtre, et se laissa glisser en bas dans le jardin. Elle prit son vêtement d'une main par devant et de l'autre par derrière, et releva sa robe à cause de la rosée qu'elle vit sur l'herbe, et s'en alla le long du jardin. Elle avait les cheveux blonds, et les yeux vairs et riants, et le visage délicat, et le nez haut et bien planté, et les lèvres vermeillettes plus que cerises et que roses au temps de l'été, et les dents blanches et menues, et elle était si mince de la ceinture

17

qu'on eût pu l'enclore en deux mains; et les fleurs des
marguerites qu'elle brisait sous les doigts de ses pieds et
qui se renversaient par-dessus, paraissaient toutes noires
en comparaison de ses pieds et de ses jambes, tant était
blanche la fillette. Elle vint à la porte de derrière, la
déferma et sortit dans les rues de Beaucaire le long de
l'ombre, car la lune était brillante. Et elle marcha tant
qu'elle arriva à la tour où était son ami. La tour était
flanquée de piliers de loin en loin, et elle se blottit contre
l'un des piliers. Elle s'enveloppa de sa mante, et mit sa
tête dans une crevasse de la tour, qui était vieille. Or,
elle entendit Aucassin qui, là dedans, pleurait et menait
grand deuil et regrettait sa douce amie qu'il aimait tant;
et quand elle l'eut assez écouté, elle lui parla.

CHANT

Nicole se tient à cette heure
Bien tristement contre un pilier.
Comment ne pas s'apitoyer
En voyant que son ami pleure?
Or, elle lui dit: —Damoiseau,
Ami noble, vaillant et beau,
Avec vous je ne puis pas feindre.
A quoi vous sert de soupirer,
De vous douloir et de pleurer,
Et de toujours ainsi vous plaindre,
Puisque je ne puis être à vous?
Car vos parents et votre père
Contre moi sont en grand courroux.
Je vais vous quitter, et pour vous

M'enfuir sur la terre étrangère.
Elle se tait, et sur son front
Elle coupe une longue tresse
Qu'elle jette dans la prison.
Aucassin la prend, la caresse,   5
La baise et la met sur son cœur;
Puis, après ce moment d'ivresse,
Il se remet à sa douleur
    Pour son amie.

RÉCIT

Quand Aucassin entendit Nicolette lui dire qu'elle 10
voulait s'en aller dans un autre pays, il ne put que se
désoler.

—Belle douce amie, fit-il, vous ne vous en irez point,
car vous causeriez ma mort. Car le premier qui vous
verrait et qui le pourrait vous prendrait aussitôt et vous 15
mettrait dans son lit et ferait de vous sa maîtresse. Et si
vous devez entrer en un autre lit que le mien, ne croyez
pas que j'attende que j'aie trouvé un couteau pour m'en
frapper le cœur et me tuer. Non certes, je n'attendrais
pas tant; mais je prendrais mon élan d'aussi loin que je 20
verrais une muraille ou une pierre, et m'y heurterais si
rudement la tête que je me ferais sortir les yeux et éclater
la cervelle. Encore aimerais-je mieux mourir de telle
mort que d'apprendre que vous êtes dans le lit d'un homme
autre que moi. 25

—Aucassin, fait-elle, je ne crois pas que vous m'aimiez
autant que vous le dites; mais moi je vous aime plus que
vous ne m'aimez.

19

—Ma foi! dit Aucassin, belle douce amie, il n'est pas possible que vous m'aimiez autant que je vous aime. La femme ne peut autant aimer l'homme que l'homme fait la femme. Car l'amour de la femme est en son œil et au
5 bout de l'orteil de son pied; mais l'amour de l'homme est planté dans son cœur et n'en saurait sortir.

Pendant qu'Aucassin et Nicolette devisaient ainsi, les gardes de la ville venaient le long de la rue, leurs épées tirées sous leurs capes, car le comte Garin leur avait
10 donné ordre que, s'ils pouvaient se saisir de Nicolette, ils la missent à mort. Et la sentinelle qui était sur la tour les vit venir et entendit qu'ils allaient parlant de Nicolette et qu'ils menaçaient de la tuer.

—Dieu! fait-elle, quel dommage s'ils tuaient si belle
15 fillette! Ce serait une bien bonne œuvre si je pouvais la prévenir de ne pas se laisser voir et qu'elle s'en gardât. Car s'ils venaient à la tuer, Aucassin, mon damoiseau, en mourrait, ce qui serait grand'pitié.

CHANT

Or la sentinelle qui veille
20 *En haut du mur de la prison*
Est un preux, courtois, sage et bon;
Et comme il entend à merveille
Ce qu'elle dit à son ami,
Il l'avertit et chante ainsi:
25 *—O jeune fille au doux sourire,*
Au gentil corsage avenant,
Tu parles à ton jeune sire,
Qui pour tes yeux s'en va mourant;

J'ai tout entendu.   Mais écoute
Le mal que pour toi je redoute.
Garde-toi des soldats: ils ont
Leurs sabres tirés sous leurs capes;
Ils te cherchent, et te tueront   5
Si soudain tu ne leur échappes.
    Prends garde à toi.

RÉCIT

—Hé! fit Nicolette, que l'âme de ton père et de ta
mère soit en repos, toi qui m'a si gentiment et si courtoisement prévenue.   S'il plaît à Dieu, je m'en garderai, et que 10
Dieu m'en garde!

Elle se serre dans sa mante à l'ombre du pilier jusqu'à
ce que les soldats aient passé outre, et elle prend congé
d'Aucassin.   Elle va, et arrive au pied du château.   Le
mur avait été rompu, puis réparé; elle monte dessus et 15
fait si bien qu'elle se trouve entre le mur et le fossé.
Elle regarde en bas, elle voit le fossé roide et profond et
elle a grand'peur.

—Hé! Dieu, fait-elle, douce créature! si je me laisse
choir, je me casserai le col, et si je reste là, on me prendra 20
demain et on me brûlera vive.   Encore aimé-je mieux
mourir ici que si tout le peuple ébahi vient demain me
regarder.

Elle fit le signe de la croix sur son visage et se laissa
glisser dans le fossé; et quand elle fut au fond, ses beaux 25
pieds et ses belles mains, qui ne savaient ce que c'est que
d'être blessés, furent meurtris et écorchés et le sang en
sortit en plusieurs endroits, et pourtant elle ne sentit ni

mal ni douleur, à cause de la grand'peur qu'elle avait.
Et si elle eut grand'peine à descendre, elle en eut bien
davantage à remonter.   Elle pensa qu'il ne faisait pas bon
demeurer là, et elle trouva un pieu aigu que ceux de
5 dedans avaient jeté pour défendre le château.   Elle
grimpa tout doucement un pied après l'autre, si bien
qu'elle arriva en haut bien péniblement.   Or il y avait
une forêt près de là, à deux portées d'arbalète, qui avait
au moins trente lieues de long et de large.   Elle était
10 pleine de bêtes fauves et de serpents.   Elle eut peur
d'être dévorée si elle y entrait, et elle songea d'autre part
que si on la trouvait là, on la ramènerait dans la ville
pour la brûler vive.

CHANT

Quand Nicolette au blanc visage,
15 *A grand'peine et n'en pouvant plus,*
Est montée en haut du talus,
Elle est près de perdre courage
Et se prend à prier Jésus.
—Roi de majesté, notre père,
20 *Prenez pitié de ma misère,*
Car, hélas! je ne sais que faire.
Si je m'en vais au bois profond,
Là sûrement me mangeront
Les bêtes qui n'y chôment guère.
25 *Si j'attends, on me trouvera*
Aussitôt que viendra l'aurore,
Et sur l'heure on me brûlera.
Mais, par Dieu, qu'humblement j'implore,

22

J'aime encore mieux, tout compté,
Que quelque bête me dévore
Que retourner dans la cité:
    Je n'irai mie.

Récit

Nicolette se désolait, comme vous l'avez ouï; elle se 5
recommanda à Dieu et marcha tant qu'elle vint à la
forêt. Elle n'osa pas s'enfoncer beaucoup, à cause des
bêtes fauves et des serpents. Elle se blottit dans un épais
buisson et le sommeil la prit, et elle dormit jusqu'au
matin, à l'heure où les bergers sortirent de la ville et 10
menèrent leurs bêtes entre le bois et la rivière. Ils se
rendirent tous ensemble à une belle fontaine qui était au
bord de la forêt. Ils étendirent une cape par terre et
mirent leur pain dessus. Pendant qu'ils mangeaient,
Nicolette s'éveilla aux cris des oiseaux et des pastoureaux, 15
et elle s'avança vers eux.

—Beaux enfants, fit-elle, Dame-Dieu vous aide!

—Dieu vous bénisse! fit l'un d'eux, qui avait la langue
plus déliée que les autres.

—Beaux enfants, connaissez-vous Aucassin, le fils du 20
comte Garin de Beaucaire?

—Oui, bien le connaissons-nous.

—Si Dieu vous aide, beaux enfants, dites-lui qu'il y a
une bête dans cette forêt, qu'il vienne la chasser, et que
s'il pouvait la prendre, il n'en donnerait pas un membre 25
pour cent marcs d'or, ni pour cinq cents, ni pour rien.

Et ils la regardèrent, et ils la virent si belle qu'ils en
furent tout émerveillés.

23

—Que je le lui dise? fit celui qui avait la langue la plus déliée. Malheur à celui qui le lui dira! Vous ne dites que des mensonges, car il n'y a si précieuse bête en cette forêt, ni cerf, ni lion, ni sanglier, dont un des membres vaille plus de deux deniers ou trois au plus; et vous parlez d'une si grosse somme! Malheur à qui vous croit et qui le lui dira! Vous êtes fée. Aussi n'avons-nous cure de votre compagnie, et passez votre chemin.

—Ha! beaux enfants, fit-elle, vous le ferez. La bête a une telle vertu qu'Aucassin sera guéri de son tourment. Et j'ai ici cinq sols dans une bourse. Prenez-les et dites-le-lui, et il faut qu'il chasse la bête dans trois jours; et si dans trois jours il ne la trouve, jamais ne sera guéri de son tourment.

—Ma foi! fait-il, nous prendrons les deniers, et s'il vient ici, nous le lui dirons, mais nous ne l'irons pas chercher.

—De par Dieu! fait-elle.

Puis elle prend congé des pastoureaux et s'en va.

CHANT

Quand Nicolette au blanc visage
Aux pastoureaux a dit adieu,
D'un pas qui tremble bien un peu
Elle entre sous l'épais feuillage.
Elle s'achemine tout droit
Par un vieux sentier fort étroit
Qui la conduit en un endroit
Où se divisaient plusieurs routes.
Elle s'arrête en ce réduit,

24

Et là, seulette, elle se mit
A songer, non sans quelques doutes,
Tant l'amour lui trouble l'esprit,
A ce que son ami va faire,
Et s'il l'aime comme il le dit. 5
Or, pour l'éprouver, elle prit
Des fleurs de lys, de la fougère,
Du gazon où l'herbe fleurit,
Un tapis de mousse nouvelle
Et des feuilles, dont elle fit 10
Une hutte en tout point si belle,
Que jamais si belle on ne vit.
—Par Dieu, tout vérité, que j'ose
Attester, je jure que si
Mon doux Aucassin vient ici 15
Et qu'un instant ne s'y repose,
Il ne sera plus mon ami
*   Ni moi sa mie.*

RÉCIT

Quand Nicolette eut fait la hutte, comme vous l'avez
ouï et entendu, bien belle et bien plaisante, elle l'eut 20
bientôt tapissée de fleurs et de feuilles en dehors et en
dedans. Elle se cacha tout près de là dans un épais
bocage, pour voir ce que ferait Aucassin. Et le bruit se
répandit par tout le pays que Nicolette était perdue.
Les uns dirent qu'elle s'était enfuie, et les autres que le 25
comte Garin l'avait fait mettre à mort. Si quelqu'un en
fut joyeux, Aucassin ne le fut guère. Et le comte Garin
le fit sortir de prison. Il manda les chevaliers de sa terre

25

et les damoiselles, et fit faire une fête bien belle, pensant
consoler son fils.   Alors que la fête était le plus brillante,
Aucassin alla s'appuyer à une rampe, tout dolent et
abattu.   Pour si grande que fût la joie, il n'eut pas le
5 cœur de se réjouir, car il ne voyait pas ce qu'il aimait.
Un chevalier le regarde, vient à lui et lui dit :

—Aucassin, du mal que vous avez moi aussi j'ai
souffert.   Si vous me voulez croire, je vous donnerai un
bon conseil.

10 —Sire, fait Aucassin, grand merci !

—Montez à cheval, allez vous ébattre au fond de cette
forêt.   Vous y verrez herbes et fleurs et entendrez les
oisillons chanter.   Peut-être entendrez-vous aussi telle
parole dont mieux vous sera.

15 —Sire, grand merci : ainsi ferai-je.

Il s'esquive de la salle, descend les degrés, vient à
l'écurie où était son cheval.   Il le fait seller et brider, met
le pied à l'étrier, monte et sort du château.   Il marcha
jusqu'à la forêt et chevaucha tant qu'il vint à la fontaine,
20 et trouva les pastoureaux sur le coup de trois heures après
midi.   Ils avaient étendu leurs capes sur l'herbe, ils
mangeaient leur pain et se réjouissaient.

CHANT

L'un des bergers se mit à dire:
—Voici venir le jeune sire
25 *Aucassin, notre damoiseau.*
Que le bon Dieu lui soit en aide
Et lui fasse trouver remède,

26

> *Car vraiment le garçon est beau!*
> *Et la fillette au blanc visage,*
> *A l'œil vair, au mignon corsage,*
> *Était belle aussi, par ma foi,*
> *Qui de sa bourse pas trop pleine*   5
> *Nous a tantôt donné de quoi*
> *Avoir des couteaux dans leur gaîne,*
> *Et des bâtons et des gâteaux,*
> *Et des flûtes et des pipeaux.*
>   *Dieu la bénisse!*   10

Récit

Quand Aucassin ouït les pastoureaux, il se souvint de Nicolette, sa très douce amie, qu'il aimait tant, et il pensa qu'elle était venue par là. Il éperonne son cheval et vient près d'eux.

—Beaux enfants, que Dieu vous aide!   15

—Dieu vous bénisse! dit celui qui avait la langue plus déliée que les autres.

—Beaux enfants, redites-moi la chanson que vous chantiez tantôt.

—Nous ne la redirons mie; au diable celui qui pour   20 vous chantera, beau sire!

—Beaux enfants, ne me connaissez-vous pas?

—Si fait; nous savons bien que vous êtes Aucassin, notre damoiseau. Mais nous ne sommes pas à vous. Nous sommes au comte Garin.   25

—Beaux enfants, chantez, je vous prie.

—Oh! corbieu! pourquoi chanterions-nous pour vous

27

s'il ne nous plaît pas? Quand il n'y a en ce pays homme
si puissant, sauf le comte Garin en personne, qui, s'il
trouvait nos bœufs, nos vaches et nos brebis en son pré et
même en ses blés, osât les en chasser, sous peine d'avoir
5 les yeux crevés, pourquoi chanterions-nous pour vous,
s'il ne nous plaît pas?

—Que Dieu vous aide, beaux enfants, vous chanterez.
Tenez, voilà dix sols que j'ai là dans ma bourse.

—Seigneur, nous prendrons les deniers, mais nous ne
10 chanterons pas. Nous l'avons juré. Mais nous vous
ferons un conte, si vous voulez.

—Par Dieu, fait Aucassin, j'aime mieux un conte que
rien.

—Or, sire, nous étions tantôt ici, entre prime et tierce,
15 et nous mangions notre pain à cette fontaine, comme nous
faisons maintenant, quand est venue une jeune fille, la
plus belle du monde, si belle que nous crûmes voir une
fée, et que tout ce bois en a été éclairé. Elle nous a tant
donné de son argent que nous lui avons promis que, si
20 vous veniez ici, nous vous dirions d'aller chasser dans
cette forêt, qu'il y a là une bête dont, si vous la pouviez
prendre, vous ne donneriez pas un membre ni pour cinq
cent marcs d'argent, ni pour rien: car la bête a telle vertu
que, si vous la pouvez prendre, vous serez guéri de votre
25 tourment. Mais dans trois jours il faut que vous l'ayez
prise, et si vous ne l'avez prise d'ici là, jamais vous ne la
verrez. Donc, chassez-la, si vous voulez, ou, si vous ne
voulez, laissez-la. Mais nous nous sommes bien acquittés
de notre promesse envers elle.

30 —Beaux enfants, fait Aucassin, vous en avez assez dit,
et que Dieu me la fasse trouver!

CHANT

Ces paroles de Nicolette
Qui l'attend et qui s'inquiète
Dans son cœur entrent jusqu'au fond.
Il part, et dans le bois profond
Son cheval au galop l'emporte.   5
—Pour vous seule je viens au bois,
Ma Nicolette. Que m'importe
Loup sur ses fins, cerf aux abois
Ou sanglier? Quoi que je fasse,
C'est toujours vous que je pourchasse   10
Et dont partout je suis la trace.
Douce amie, encore une fois
Voir vos yeux, voir votre sourire,
J'en ai le cœur, tant le désire,
Navré d'amour jusqu'à la mort.   15
Qu'il plaise à Dieu, le père fort,
Qu'une fois je vous voie encor,
  Sœur, douce amie!

RÉCIT

Aucassin va par la forêt, cherchant Nicolette, et son
cheval l'emporte à grande allure. Ne croyez pas que les 20
ronces et les épines l'épargnent. Nenni. Mais bien elles
lui déchirent ses vêtements, au point qu'il ne pourrait
faire un nœud avec ce qui en reste, et le sang lui coule des
bras, des jambes et des côtés en plus de vingt endroits, si
bien qu'on l'eût suivi à la trace de son sang qui tombait 25
sur l'herbe. Mais il songeait tant à Nicolette, sa douce

29

amie, qu'il ne sentait ni mal ni douleur. Il erra tout le jour dans la forêt, sans découvrir sa trace. Et quand il vit que le soir venait, il se mit à pleurer parce qu'il ne trouvait pas sa douce amie. Il chevauchait dans une
5 vieille route couverte d'herbe, lorsqu'il rencontra un homme tel que je vais vous le dire. Il était grand et merveilleusement laid et hideux. Il était chaussé de houseaux et de souliers de cuir de bœuf entourés d'une corde grossière jusque par-dessus les genoux. Il était
10 affublé d'une cape à deux envers, et il s'appuyait sur une grosse massue. Aucassin tomba sur lui à l'improviste, et il eut grand'peur quand soudain il le vit de tout près:

—Beau frère, Dieu t'aide!

—Dieu vous bénisse!

15 —Par Dieu, que fais-tu ici?

—Que vous importe?

—Rien; je ne vous le demande qu'à bonne intention.

—Mais vous, pourquoi pleurez-vous et menez-vous si grand deuil? Certes, si j'étais aussi riche que vous, rien
20 au monde ne me ferait pleurer.

—Bah! me connaissez-vous?

—Oui, je sais bien que vous êtes Aucassin, le fils du comte, et si vous me dites pourquoi vous pleurez, je vous dirai ce que je fais ici.

25 —Certes, je vous le dirai bien volontiers. Je suis venu ce matin chasser dans cette forêt. J'avais un lévrier blanc le plus beau du monde; je l'ai perdu et je le pleure.

—Oh! par le cœur de Notre-Seigneur, vous pleurez pour un méchant chien! Bien sot qui vous estimera, quand il
30 n'est si riche seigneur en ce pays qui, si votre père lui en demandait dix, quinze ou vingt, ne les lui donnât

30

volontiers, et n'en fût heureux. Moi, j'ai le droit de
pleurer et de me désespérer.

—Toi? et de quoi, frère?

—Sire, je vous le dirai. J'étais loué à un riche vilain,
je conduisais sa charrue attelée de quatre bœufs. Or, il ₅
y a trois jours, il m'est arrivé un grand malheur. De mes
quatre bœufs, j'ai perdu le meilleur, Rouget, le meilleur
de ma charrue. Et je le vais cherchant, et il y a trois
jours que je n'ai mangé ni bu, et je n'ose retourner à la
ville parce qu'on me mettrait en prison, car je n'ai pas de ₁₀
quoi le payer. Pour tout bien au monde, je ne possède
que ce que j'ai sur le corps. J'avais une pauvre vieille
mère: elle n'avait qu'un matelas, et on le lui a arraché de
dessous elle, et maintenant elle est couchée sur la paille
nue. J'ai plus de chagrin pour elle que pour moi, car le ₁₅
bien va et vient: si aujourd'hui j'ai perdu, je gagnerai une
autre fois; je payerai mon bœuf quand je pourrai, et pour
ce je ne pleurerai mie. Tandis que vous, vous pleurez
pour un sale chien! Bien sot qui vous plaindra.

—Certes, tu es un bon consolateur, beau frère! Béni ₂₀
sois-tu! Et que valait ton bœuf?

—Seigneur, on m'en demande vingt sols. Je n'en puis
rabattre une seule maille.

—Or, tiens, voici vingt sols que j'ai là dans ma bourse;
rachète ton bœuf. ₂₅

—Sire, grand merci. Que Dieu vous fasse trouver ce
que vous cherchez!

Aucassin le quitte, et il chevauche. La nuit était belle
et douce. Il erra tant qu'il vint à la hutte qui était, en
dedans et en dehors, en dessus et en dessous, tapissée de ₃₀
fleurs; et elle était si belle qu'elle ne pouvait l'être plus.

31

Quand Aucassin la vit, il s'arrêta tout à coup.   La lumière
de la lune glissait dedans.

—O Dieu! fit-il, ici a passé Nicolette, ma douce amie,
et c'est elle qui a fait cette hutte de ses belles mains.
5 Pour l'amour d'elle et sa douceur, je descendrai ici et je
me reposerai cette nuit.

Il mit le pied hors de l'étrier pour descendre.   Le
cheval était grand et haut.   Il songeait tant à Nicolette,
sa très douce amie, qu'il tomba rudement sur une pierre
10 et qu'il se démit l'épaule.   Il se sentit fort blessé, mais il
fit autant d'efforts qu'il le put et il attacha, de l'autre
main, son cheval à un buisson.   Il se tourna sur le côté et
vint tout en rampant jusqu'à la hutte.   Il regarda par un
trou dans l'intérieur, et il vit des étoiles au ciel, et il en
15 vit une plus brillante que les autres, et il dit:

Chant

Étoile que la nuit attire,
Petite étoile, je te voi
Étinceler et me sourire:
Ma Nicolette est avec toi.
20 *Sans doute que Dieu,*par envie*
De sa beauté, me l'a ravie . . .

. . . .

Quoi qu'il dût arriver de moi
En retombant sur cette terre,
25 *Plût au ciel, qui me désespère,*
Que je pusse monter à toi;
Car fussé-je le fils d'un roi,
Vous seriez bien digne de moi,
Sœur, douce amie.

32

Récit

Quand Nicolette entendit Aucassin, car elle n'était pas loin, elle vint à lui. Elle entra dans la hutte et lui jeta les bras autour du col, et l'embrassa et le baisa.   5

—Beau doux ami, soyez le bienvenu!

—Et vous, belle douce amie, soyez la bien trouvée!

Et ils se baisaient et s'entre-baisaient, et douce était leur joie.

—Ah! douce amie, j'étais tout à l'heure fort blessé à 10 l'épaule, et maintenant je ne sens ni mal ni douleur, puisque je vous ai retrouvée.

Elle le tâte aussitôt et voit qu'il a l'épaule démise. Elle le manie tant avec ses belles mains, et fait si bien, avec l'aide de Dieu qui aime ceux qui s'aiment, que son 15 épaule se remet à sa place. Puis elle prend des fleurs, de l'herbe fraîche et des feuilles vertes, le bande avec un pan de sa fine chemise de lin, et il est aussitôt guéri.

—Aucassin, beau doux ami, quoi qu'il advienne de vous, pensez à ce que vous allez faire. Si demain votre 20 père fait fouiller cette forêt, et qu'on nous trouve, quoi qu'on fasse de vous, moi, on me tuera.

—Certes, belle douce amie, j'en aurais une grande douleur; mais, si je puis, on ne vous prendra pas.

Il monte sur son cheval, prend son amie devant lui, et 25 l'embrassant et la baisant, ils se mettent en campagne.

Chant

Il quitte la forêt profonde,   30
Et devant lui, sur son arçon,

Il tient, l'heureux et beau garçon,
Ce qu'il aime le mieux au monde.
Tandis que, de cette façon,
Avec Nicolette il chemine,
S'il la serre sur sa poitrine
Entre ses deux bras amoureux,
S'il lui baise ses blonds cheveux,
Le col, les lèvres et les yeux,
Aisément on se l'imagine.
Or, Nicolette, un peu chagrine,
Lui dit à la fin: —Doux ami,
Où me conduisez-vous ainsi?
Est-ce donc en terre lointaine?
—Douce amie, eh! que sais-je, moi?
Que ce soit par n'importe quoi
Et n'importe où, montagne ou plaine,
Pourvu que je sois avec toi,
D'autre soin ne me mets en peine.
—Ils s'en vont par monts et par vaux,
Par les villes et les hameaux,
Marchant toujours à l'aventure,
Tant qu'au matin lorsqu'il fit clair
Ils arrivèrent à la mer,
Et là quittèrent leur monture
   Au bord de l'eau.

RÉCIT

Aucassin descend de cheval avec sa mie, comme vous
l'avez ouï et entendu. Il tient son cheval par la bride et
sa mie par la main. Et ils commencent à marcher sur le

rivage.   Pendant qu'il était en telle aise et en tel plaisir,
car il avait avec lui Nicolette, sa douce amie qu'il aimait
tant, une troupe de Sarrasins débarqua sur le rivage.   Ils
prirent Nicolette et Aucassin auquel ils lièrent les pieds et
les mains, et le jetèrent dans un navire et Nicolette dans   5
un autre.   Une tourmente s'éleva qui les sépara.   Le
navire qui portait Aucassin courut si bien et si longtemps
qu'après maintes aventures, il aborda au château de
Beaucaire.   Et les gens du pays accoururent pour piller
le vaisseau.   Ils y trouvèrent Aucassin et le reconnurent. 10
Quand ceux de Beaucaire virent leur damoiseau, ils en
eurent une grande joie.   Son père et sa mère étaient
morts.   Ils le conduisirent au château et devinrent
aussitôt ses vassaux.   Et il posséda sa seigneurie en paix.

CHANT

Aucassin, étant retourné   15
Dans son beau castel de Beaucaire,
Sur tout un peuple fortuné
Régnait en seigneur débonnaire;
Mais souvent il jurait tout bas
Qu'il regrettait bien davantage   20
Sa Nicolette au blanc visage
Que si tout son beau parentage
Eût passé de vie à trépas.
—Quel lieu du monde, m'amiette,
En ce moment peut te cacher?   25
Dieu ne fit aucune retraite
Si profonde ni si secrète
Où je ne t'allasse chercher,

35

Si je pouvais, ma Nicolette,
La découvrir.

RÉCIT

    Maintenant, nous laisserons Aucassin, et nous revien-
drons à Nicolette. Le navire où elle se trouvait apparte-
5 nait au roi de Carthage. Or, c'était son père. Elle
avait douze frères, tous princes ou rois. Quand ils virent
Nicolette si belle, ils lui firent grand honneur et grande
fête, et ils lui demandèrent qui elle était, car elle leur
paraissait bien noble dame, et de haut rang. Mais elle
10 ne sut leur dire qui elle était, car elle avait été enlevée
toute petite enfant. Ils naviguèrent tant, qu'ils arrivèrent
enfin sous la cité de Carthage. Et quand Nicolette vit
les murs du château, elle se reconnut et se souvint qu'elle
y avait été nourrie et enlevée toute petite. Mais elle
15 n'était pourtant si petite qu'elle ne se souvînt bien qu'elle
avait été nourrie dans la cité.

CHANT

Donc Nicolette sur le bord
Est débarquée. Et, tout d'abord,
Elle remarque avec surprise
20 *La ville, les murs et le port,*
Le château, la place précise
Où toute enfant elle fut prise,
Ce qui la fait encor gémir.
—A quoi me sert-il d'être née
25 *D'aussi grande et noble lignée,*
D'être cousine d'un émir

36

Et fille du roi de Carthage
Pour me voir un jour devenir
L'esclave d'un peuple sauvage?
Ton souvenir, mon Aucassin,
M'aiguillonne et brûle mon sein   5
D'une si vive et douce flamme
Que je me sens mourir d'amour.
Fasse Dieu, qui connaît mon âme,
Que je te revoie un seul jour,
Que ta bouche baise la mienne   10
Et qu'entre mes bras je te tienne,
Mon damoiseau!

Récit

Quand le roi de Carthage entendit Nicolette parler ainsi,
il jeta les bras à son col.

—Belle douce amie, fit-il, dites-moi qui vous êtes. Ne 15
vous défiez pas de moi.

—Seigneur, je suis la fille du roi de Carthage. J'ai été
enlevée toute petite enfant, il y a bien quinze ans.

Quand tous ceux de la cour l'entendirent parler de la
sorte, ils surent bien qu'elle disait vrai. Ils lui firent 20
grande fête, et la conduisirent au palais en grand honneur
comme une fille de roi. Ils voulurent lui donner pour
mari un roi de païens; mais elle ne songeait guère à se
marier. Elle resta là trois ou quatre ans. Elle rêvait
sans cesse par quel moyen elle pourrait aller à la recherche 25
d'Aucassin. Elle se procura une viole dont elle s'apprit à
jouer. Comme on voulait un jour la marier à un puissant
roi païen, elle s'esquiva la nuit, vint au port et se retira

chez une pauvre femme sur le rivage. Elle prit une herbe qu'elle connaissait, s'en oignit la tête et le visage, si bien qu'elle se peignit tout en noir, et elle fit faire un justau-corps, un manteau, une chemise et des braies et se
5 déguisa ainsi en jongleur. Elle prit la viole, alla trouver un marinier et fit si bien qu'il la reçut dans son vaisseau. On déploya les voiles et on navigua tant qu'on arriva sur la terre de Provence. Et Nicolette débarqua, prit sa viole et s'en alla en viellant par le pays et vint au château de
10 Beaucaire où était Aucassin.

CHANT

A Beaucaire, au pied de la tour,
Aucassin vient s'asseoir un jour.
Près de lui, les barons superbes
Sont debout et lui font leur cour.
15 *Il contemple les fleurs, les herbes,*
Et sur le bord des clairs ruisseaux
Il entend chanter les oiseaux.
Il se souvient de Nicolette
Et de ses premières amours
20 *Qui durèrent si peu de jours.*
Ce temps heureux, il le regrette
Et le regrettera toujours.
Mais voici la blonde Nicole
Qui s'approche, prend sa viole
25 *Et chante ainsi:*
—Seigneurs barons,
Ceux de la plaine et ceux des monts,
Vous plaît-il entendre l'histoire

38

Bien douce, vous pouvez m'en croire,
D'Aucassin, le noble varlet,
Et de Nicolette, sa mie?
D'un cœur si fidèle il l'aimait
Que, sans retard et sans regret,   5
Pour son amour donnant sa vie,
Au bois profond il l'a suivie.
Las! un jour un vaisseau païen
Les a menés en esclavage.
D'Aucassin nous ne savons rien.   10
Mais Nicolette est à Carthage,
Un pays dont son père est roi,
Un grand royaume, sur ma foi!
Il prétend lui donner pour maître
Un mécréant, roi comme lui.   15
Une autre le prendrait peut-être,
Mais Nicole n'en a souci.
Elle a pour maître et pour ami
Un damoiseau qu'elle a choisi,
Qui l'aime d'un amour extrême   20
Et d'Aucassin porte le nom.
Elle prend à témoin Dieu même
Qu'au grand jamais pour son baron
Nul homme ne prendra, sinon
Le jeune damoiseau qu'elle aime,   25
    Qu'elle aime tant!

RÉCIT

Quand Aucassin entendit Nicolette parler de la sorte, il
fut bien joyeux. Il la prit à part et lui demanda:

—Beau doux ami, ne savez-vous autre chose de cette Nicolette dont vous venez de chanter la chanson?

—Seigneur, je la connais comme la plus vaillante, la plus gentille et la plus sage qui fut jamais. Elle est
5 fille du roi de Carthage, qui l'a prise en même temps qu'Aucassin et l'a conduite en la cité de Carthage. Quand il a appris que c'était sa fille, il lui a fait grand'fête. Or on veut lui donner chaque jour pour mari un des plus puissants rois de toute l'Espagne; mais elle se laisserait
10 plutôt pendre ou brûler vive que de prendre un mari, tant fût-il riche.

—Ha! beau doux ami, fait le comte Aucassin, si vous vouliez retourner en ce pays pour lui dire de venir me parler, je vous donnerais de mon bien tout ce qu'il vous
15 plairait d'en demander ou d'en prendre. Et sachez que, pour son amour, je n'ai pas voulu prendre femme, tant fût haut son parage, mais que je l'attends et que je n'aurais jamais d'autre femme qu'elle. Et si j'avais su où la trouver, je n'en serais pas à me mettre à sa recherche.
20 —Seigneur, fait-elle, si vous me promettiez cela, je l'irais chercher pour vous et pour elle, que j'aime beaucoup.

Il le lui promet, et lui fait donner vingt livres. Elle le quitte, et il se met à pleurer pour la douceur de sa
25 Nicolette. Et quand elle le voit pleurer:

—Seigneur, fait-elle, ne vous désolez pas ainsi. D'ici à peu de temps, je vous l'aurai amenée en cette ville et vous la verrez.

Et quand Aucassin l'entendit parler ainsi, il fut bien
30 joyeux. Elle va par la ville à la maison de la vicomtesse, car le vicomte, son parrain, était mort. Elle lui rend

40

visite, lui confie son secret, et la vicomtesse la reconnut et
sut bien que c'était la Nicolette qu'elle avait élevée.
Elle la fit laver et baigner et reposer chez elle huit jours
entiers. Nicolette prit une herbe qui avait nom éclaire,
s'en frotta le visage et se rendit aussi belle qu'elle l'avait 5
jamais été. Elle se revêtit de riches habits de soie dont la
dame avait à foison. Elle s'assit dans la chambre sur
une courte-pointe de drap de soie, appela la dame, et lui
dit d'aller chercher Aucassin, son ami. Et la dame fit
ainsi. Et quand elle vint au palais, elle trouva Aucassin 10
qui pleurait et regrettait Nicolette, sa mie, parce qu'elle
tardait tant à venir; et la dame lui dit:

—Aucassin, ne vous désolez plus, mais venez avec moi,
et je vous montrerai la chose que vous aimez le plus au
monde, car c'est Nicolette, votre douce amie, qui est venue 15
vous trouver de lointains pays.

Et Aucassin fut heureux.

CHANT

Or à peine Aucassin apprend
Que son amie au blanc visage
Se trouve dans le voisinage, 20
S'il est heureux, on le comprend.
Devers le logis de la dame,
D'un pas léger, le ciel dans l'âme,
Soudain il s'en va tout courant.
Il entre dans l'appartement 25
Où se trouvait sa bien-aimée.
Sitôt qu'elle voit son ami,
Elle saute en pieds, court à lui,

Et tremblante et demi-pâmée,
Elle vient tomber sur son cœur.
Si vous doutez qu'avec bonheur
Il l'y reçût, voyez l'image.
5 *Puis, retrouvant ce fin corsage,*
Ces doux yeux et ce blanc visage,
Jugez comme il les caressa! . . .
Cette nuit ainsi se passa.
Mais quand le jour vint à se faire,
10 *Bien et dûment il l'épousa*
Et la fit dame de Beaucaire.
—Donc ils menèrent de longs jours
Filés d'azur, d'or et de soie.
Si l'amant, avec ses amours,
15 *En ce monde eut sa part de joie,*
Son amante eut la sienne aussi.
Dieu vous en donne autant! Ainsi
Finit le conte.

LAIS DE MARIE DE FRANCE

LE CHÈVREFEUILLE

J'ai envie de vous conter une histoire qui me plaît:
celle du lai nommé le Chèvrefeuille.

C'est de Tristan et de la reine, de leur amour qui fut
si parfait, dont ils eurent maintes douleurs; et puis, un
jour, ils en moururent.   5

Le roi Marc était courroucé contre Tristan son neveu;
il le congédia de son royaume, à cause de la reine qu'il
aimait. Et Tristan s'en alla dans sa contrée, en Southwales, où il était né.

Il y demeura un an tout plein, sans pouvoir retourner 10
à Tintagel: il s'abandonnait aux pensées qui tuent et qui
détruisent. Ne vous en émerveillez pas; qui aime avec
loyauté est dolent et tourmenté quand il n'a pas son
plaisir.

Tristan était dolent et pensif; pour ce, il quitta son pays 15
et s'en revint droit en Cornouailles, où la reine habitait.

Il se mit tout seul dans la forêt, car il ne voulait pas
qu'on le vît. A la vêprée, il en sortait, quand c'était

*Extrait de l'ouvrage: Les Lais de Marie de France, traduction
de Paul Tuffrau, l'Édition d'Art, H. Piazza, Paris.*

45

l'heure de chercher un gîte. Avec les paysans, avec la pauvre gent, il gîtait la nuit.

Il leur demandait leurs nouvelles, ce que faisait le roi. Il apprit d'eux, qui l'avaient ouï dire, que Marc convo-
5 quait ses barons à Tintagel; il voulait y donner une fête; à la Pentecôte, tous y seraient. Il y aurait belle joie et réjouissances, et la reine y devait être avec le roi.

Quand Tristan l'apprit, il en eut grande liesse. Elle n'y pouvait aller qu'il ne la vît à son passage.
10 Le jour que le roi se mit en route, Tristan s'en vient dans les bois, sur le chemin par où doit passer le cortège.

Il coupe une branche de coudrier, il la taille en baguette carrée. Puis quand elle est prête, il y écrit son nom avec son couteau et la plante au milieu du sentier.
15 Si la reine le voit, qui à tout était attentive, elle reconnaîtra le bâton; car autrefois, il était arrivé qu'ainsi ils s'étaient fait signe.

La reine arrive en chevauchant. Elle regardait le sentier un peu avant d'elle, elle aperçoit le bâton, elle
20 reconnaît toutes les lettres.

Aux chevaliers qui voyageaient avec elle, elle commande aussitôt de s'arrêter: elle veut descendre, elle est lasse. Ils font son commandement.

Elle s'en va loin d'eux, elle appelle à elle Brangien, sa
25 suivante, en qui elle a mis sa foi. Et toutes deux s'écartent un peu du chemin.

Dans le bois, elle trouve celui qu'elle aime plus que toute chose vivante. Ils mènent entre eux joie grande et belle.
30 Il lui dit que depuis longtemps il était là à l'attendre et à l'épier, cherchant comment il pourrait la voir; car sans

46

elle il ne pouvait vivre. D'eux il en était tout comme il
en est du chèvrefeuille qui se prend au coudrier; quand il
s'est pris, enlacé, enroulé tout autour du fût, ensemble ils
peuvent bien durer; mais vient-on à les séparer, le coudrier
meurt hâtivement, et meurt aussi le chèvrefeuille.   5

« Belle amie, ainsi est de nous: ni vous sans moi, ni moi
sans vous! »

Ainsi il lui parle tout à loisir, et elle lui dit tout son
bonheur. Puis elle lui apprend comment il fera son
accord avec le roi, et combien elle a souffert depuis que   10
Marc l'a congédié: c'est sur une dénonciation qu'il l'a fait.

A la fin elle laisse son ami et s'en va. Mais quand il
fallut se séparer, tous deux pleurèrent.

Et lui s'en retourna dans le pays de Galles, où il attendit
sa grâce.   15

Pour la joie qu'il eut en revoyant sa mie, et pour garder
mémoire des paroles qu'elle lui avait dites, Tristan, qui
savait bien harper, en fit un nouveau lai. Il ne me reste
qu'à vous dire son nom: « Goatleaf » l'appellent les
Anglais; et les Français: « Chèvrefeuille. »   20

LES DEUX AMANTS

I

Jadis advint en Normandie l'aventure souvent contée de deux enfants qui s'entr'aimèrent et qui moururent de cet amour. Les Bretons en firent le lai que voici. On l'appelle « les Deux Amants. » C'est vérité qu'en
5 Neustrie, que nous appelons aussi Normandie, il y a une montagne merveilleusement haute: les deux enfants gisent sur le sommet. Naguère, au pied de ce mont, par grand sens et mûre réflexion, le roi des Pitrois avait fait bâtir une cité; du nom de son peuple il l'avait appelée Pitres.
10 Le nom est toujours resté depuis. La ville, les maisons existent encore; et la contrée porte le nom de val de Pitres.

Le roi avait une fille, damoiselle belle et courtoise, et il n'avait qu'elle; il l'aimait et la chérissait grandement. C'était son seul souci; nuit et jour il était près d'elle; seule
15 elle pouvait le consoler d'avoir perdu la reine. De riches hommes la demandèrent qui l'eussent volontiers prise;

Extrait de l'ouvrage: Les Lais de Marie de France, traduction de Paul Tuffrau, l'Édition d'Art, H. Piazza, Paris.

mais le roi ne la voulait donner à personne, il ne pouvait pas se séparer d'elle. Les siens même l'en blâmaient.

Quand il apprit qu'on en parlait, il en eut courroux et douleur. Il chercha comment il pourrait empêcher que nul ne la lui prît. Il manda donc auprès, au loin, ceci que 5 devait connaître quiconque prétendait l'avoir: lui, le roi, avait décidé, arrêté, qu'il fallait, pour conquérir sa fille, la porter entre ses bras hors de la cité jusqu'au sommet de la montagne, sans prendre haleine.

Quand la nouvelle fut connue, beaucoup vinrent, qui 10 s'y essayèrent et ne réussirent à rien. Tant s'efforçaient quelques-uns qu'ils la portaient jusqu'à mi-hauteur de la montagne, mais ils ne pouvaient aller plus loin: force leur était de la déposer à terre. En sorte qu'elle resta long-temps ainsi, fille à donner, sans que désormais nul se 15 présentât pour la prendre.

Dans le pays il y avait un damoiseau noble et bien fait, fils d'un comte. Il s'efforçait, en toute chose, de l'emporter sur tous. Il fréquentait la cour du roi et s'était épris de la pucelle. Maintes fois il la supplia de lui accorder son 20 amour. Comme il était courtois et preux et que le roi le prisait beaucoup, elle lui donna son amour, et lui l'en remercia humblement. Souvent ils parlaient ensemble, et loyalement s'entr'aimaient, et prenaient bien garde de n'être pas découverts. Ces précautions leur pesaient; mais le 25 valet pensait: mieux vaut endurer mésaise, que trop risquer et tout perdre. C'était pour lui situation bien amère.

Or il advint qu'un matin son cœur creva. Le damoiseau si beau, si sage vint à son amie. Il dit tout, il fit sa 30 plainte. Il la supplia de s'en aller avec lui: il ne pouvait

plus supporter l'ennui d'être privé d'elle. S'il la demandait à son père, il savait bien que le roi l'aimait tant
qu'il ne la lui donnerait pas, à moins qu'il ne la portât
entre ses bras jusqu'au sommet de la montagne.

5 La damoiselle répondit:

« Ami, je sais bien que vous ne m'y pourriez porter;
vous n'êtes pas assez vigoureux. Mais si je m'en allais
avec vous, mon père en aurait colère et deuil, et sa vie ne
serait plus qu'un martyre. Et je l'aime tant que je ne le
10 voudrais point courroucer. Or il faut prendre une autre
décision, car je ne veux pas entendre à celle-là. J'ai une
parente à Salerne; c'est une femme riche, qui a de très
grands revenus. Elle est là-bas depuis trente ans. Elle
a tant pratiqué l'art de physique qu'elle connaît les herbes
15 et les racines; elle est experte en tout remède. Allez vers
elle, remettez-lui la lettre que je vais écrire, contez-lui
notre aventure. Elle réfléchira et fera ce qu'il faut faire.
Elle vous donnera tels électuaires, vous baillera telles
boissons que vous en serez tout réconforté et que vous
20 acquerrez aussitôt vigueur merveilleuse. Alors, quand
vous serez revenu dans ce pays, vous me demanderez à
mon père. Il vous tiendra pour un enfant, et vous dira
sa condition: qu'il faut d'abord me porter au sommet de
la montagne entre vos bras sans vous reposer. Octroyez-
25 le-lui bonnement, puisqu'il faut en passer par là. Me
porter là-haut ne sera pour vous qu'un jeu. »

Le jouvenceau ouït le conseil de son amie; il en est très
joyeux, il la remercie. Puis il prend congé.

Il s'en retourne chez lui. Hâtivement il se munit de
30 vêtements riches et de deniers, de roncins et de palefrois.
Il part, arrive à Salerne et se présente à la tante de son

amie. Il lui remet un bref de sa part. Elle le lit d'un
bout à l'autre, puis elle l'interroge tant qu'elle apprend
tout. Alors elle l'enforce par des remèdes. Elle lui
baille une boisson telle qu'il ne sera jamais si malade, si
épuisé qu'elle ne lui rafraîchisse tout soudain le corps, les 5
veines, les os, et qu'il ne recouvre à la boire sa vigueur
entière. Il met la boisson dans un vaisseau, puis la
remporte en son pays.

II

Le damoiseau, plein d'allégresse, ne s'attarde point dans
sa terre. Il va demander sa fille au roi : qu'il la lui 10
donne, il la portera jusqu'au plus haut de la montagne.
Le roi ne l'éconduit point, mais il tient sa demande à
grande folie, parce qu'il est tout jeune : tant de vaillants
prud'hommes ont essayé, qui n'ont pu aboutir ! Pourtant
il lui fixe un jour. Puis il mande ses hommes, ses fieffés, 15
tous ceux qu'il peut atteindre. Pour voir l'aventure de la
jouvencelle et du valet, on vient de toutes parts. La
damoiselle se prépare ; elle vit très chichement, elle jeûne
beaucoup pour s'alléger et soulager d'autant son ami.

Au jour dit tous s'assemblent dans la prairie, vers la 20
Seine. Le damoiseau arrive le premier, ayant sur lui son
breuvage et sa fiole. Au milieu de la grande foule
accourue, le roi amène sa fille. Elle a pour unique vêtement
sa chemise, afin d'être plus légère. Le damoiseau la prend
dans ses bras ; il lui glisse dans la main la petite fiole pour 25
qu'elle la porte. Il sait que ce breuvage ne peut le trahir ;
mais je crains qu'il n'en retire que peu de profits, car
jeunesse ne connaît point la mesure.

51

Il s'en va donc à grands pas, la serrant bien fort contre
lui. Il monte la pente jusqu'à moitié. Dans la joie
qu'il a de la tenir, il ne se souvient plus du breuvage;
mais elle remarque qu'il se fatigue.

5 «Ami, fait-elle, allons, buvez! Je sens bien que vous
vous épuisez. Renouvelez votre vigueur!»

Le damoiseau répond:

«Belle, je sens mon cœur battre toujours aussi fort.
Assurément je ne perdrai pas mon temps à boire tant que
10 je pourrai faire encore trois pas. La foule s'écrirait, la
clameur m'étourdirait, tout cela aurait tôt fait de me
troubler. Je ne veux pas m'arrêter ici.»

Quand les deux tiers furent montés, il s'en fallut de peu
qu'il ne tombât. La jouvencelle le priait sans cesse:

15 «Ami, buvez le remède.»

Il ne la veut ni ouïr ni croire. Il n'avance plus avec
elle qu'à grand'peine, grande angoisse. Tant il s'efforce
qu'il parvient sur le mont; mais là il tombe et ne se
relève plus: son cœur s'est brisé dans son ventre.

20 La pucelle regarde son ami, croit qu'il est en pâmoison.
Elle se met à genoux près de lui, essaie de lui donner le
breuvage; mais déjà il ne pouvait plus lui répondre. Il
était mort, comme je vous l'ai dit.

Elle le regrette à grands cris. Puis elle jette et brise
25 le vaisseau qui contenait la boisson. La montagne s'en
abreuve largement; tout le pays et la contrée en ont été
merveilleusement amendés; depuis, mainte bonne herbe y
pousse.

Revenons à la jouvencelle. Dès qu'elle voit son ami
30 perdu, elle est dolente plus que jamais fille ne fut. Elle
se couche à ses côtés, l'étreint entre ses bras, lui baise

souvent les yeux et la bouche. Le deuil la glace jusqu'au
cœur. Et là meurt la damoiselle qui était si belle, si
prude, si sage.

Le roi et ceux qui attendaient, voyant qu'ils ne
revenaient pas, montent vers eux; ils les trouvent ainsi. 5
Le roi tombe à terre, pâmé; quand il peut parler, il mène
une grande douleur; ainsi fit la foule autour de lui. Il
les garda trois jours près de lui. Puis il envoya chercher
un cercueil de marbre; on mit dedans les deux enfants;
on les enfouit sur la montagne. Et chacun rentra chez 10
soi.

A cause d'eux, la montagne porte le nom de « montagne
des deux amants. » Et vous en connaissez maintenant la
véritable aventure.

LE LAÜSTIC

Je vais vous dire une aventure dont les anciens Bretons firent un lai. Son nom est Laüstic: ainsi l'appellent-ils en leur pays. C'est « rossignol » en français et « nightingale » en anglais.

5 Dans le pays de Saint-Malo était une ville fameuse. Deux chevaliers y demeuraient et y avaient deux fortes maisons. Telle était l'excellence de ces deux barons que la ville en avait bonne renommée. L'un avait épousé une femme sage, courtoise et toujours bien parée: c'est 10 merveille d'ouïr les soins qu'elle prenait d'elle selon les meilleurs usages du temps. L'autre était un bachelier bien connu parmi ses pairs pour sa prouesse, sa grande valeur et son accueil généreux. Il était de tous les tournois, dépensait et donnait volontiers ce qu'il avait.

15 Il aima la femme de son voisin. Il lui fit si grandes requêtes, si grandes prières, il y avait si grand bien en lui, qu'elle l'aima plus que toute chose, tant pour le bien qu'elle en ouït dire que parce qu'il habitait près d'elle.

Extrait de l'ouvrage: Les Lais de Marie de France, traduction de Paul Tuffrau, l'Édition d'Art, H. Piazza, Paris.

Ils s'entr'aimèrent sagement et bien. Ils tinrent leur
amour très secret et prirent garde qu'ils ne fussent aperçus,
ni surpris, ni soupçonnés. Et ils le pouvaient facilement
faire, car leurs demeures étaient proches. Voisines étaient
leurs maisons, leurs donjons et leurs salles; il n'y avait ni 5
barrière ni séparation, fors une haute muraille de pierre
brune. De la chambre où la dame couchait, quand elle
se tenait à la fenêtre, elle pouvait parler à son ami, et lui
à elle de l'autre côté; ils entr'échangeaient leurs gages
d'amour en les jetant et en les lançant. Rien ne les 10
troublait. Ils étaient tous deux bien aises, fors qu'ils
ne pouvaient du tout venir ensemble à leur volonté, car
la dame était étroitement gardée quand son ami était
dans la ville. Mais ils en avaient dédommagement soit
de jour, soit de nuit, dans les paroles qu'ils se disaient: 15
car nul ne les pouvait empêcher de venir à leurs fenêtres
et là, de se voir.

Longtemps ils s'entr'aimèrent, tant que l'été arriva: les
bois et les prés reverdirent, les vergers fleurirent. Les
oiselets menèrent, à voix très douce, leur joie au sommet 20
des fleurs. Ce n'est pas merveille si celui qui aime s'y
adonne alors davantage. Et le chevalier et la dame s'y
adonnèrent de tout leur cœur, par paroles et par regards.
Les nuits, quand la lune luisait et que son seigneur était
couché, souvent elle quittait son côté, se levait, s'envelop- 25
pait de son manteau. Elle venait s'appuyer à la fenêtre
pour son ami qu'elle savait là; lui faisait de même et
veillait la plus grande partie de la nuit. Ils avaient
grande joie à se regarder, puisqu'ils ne pouvaient avoir
plus. 30

Tant et tant elle se leva, tant et tant elle s'accouda que

son sire en fut irrité. Maintes fois il voulut savoir pourquoi elle se levait et où elle allait.

« Sire, lui répondait la dame, celui-là ignore la joie en
ce monde, qui n'écoute pas le laüstic chanter: c'est pour
5 l'entendre que je viens m'accouder ici. Si douce est sa
voix dans la nuit que l'ouïr m'est un grand délice: et
j'ai tel désir de cette jouissance que je ne peux fermer les
yeux et dormir. »

Quand le sire entendait ce qu'elle disait, il jetait un ris
10 courroucé et méchant. Il réfléchit tant qu'il trouve ceci:
il prendra le laüstic au piège. Il n'a valet en sa maison
qui ne fasse engin, rêts ou lacet: puis ils vont les mettre
dans le verger. Pas de coudrier ni de châtaignier où ils
n'aient disposé lacs et glu. Tant qu'ils prennent le
15 laüstic. Alors ils l'apportent tout vif au seigneur.
Quand il le tient, il en est très joyeux. Il vient dans la
chambre de la dame.

« Dame, fait-il, où êtes-vous? Venez ici, que je vous
parle! J'ai pris dans un piège le laüstic, à cause duquel
20 vous avez tant veillé. Désormais vous pouvez reposer en
paix; il ne vous éveillera plus! »

Quand la dame l'entend, elle est dolente et courroucée.
Elle le demande à son seigneur. Et lui occit l'oiselet avec
emportement; il lui rompt le cou avec ses deux mains;
25 puis il fait une chose trop vilaine à conter; il jette le
corps sur la dame, si qu'il lui ensanglante sa robe un peu
au-dessus de la poitrine. Et il sort de la chambre.

La dame prend le corps, tout petit. Elle pleure durement, elle maudit ceux qui firent les engins et les lacs et
30 prirent traîtreusement le laüstic; car ils lui ont retiré une
grande joie.

« Lasse, dit-elle, le malheur est sur moi! Je ne pourrai plus me lever la nuit ni m'accouder à la fenêtre d'où j'avais coutume de voir mon ami. Il croira que je l'aime moins; c'est chose dont je suis assurée. Aussi faut-il que j'avise; je lui ferai tenir le laüstic, je lui manderai 5 l'aventure. »

En une pièce de samit, brodée d'or, où elle raconte tout par écrit, elle enveloppe le petit oiseau. Elle appelle un sien valet. Elle le charge de le porter à son ami. Il vient au chevalier. De la part de la dame, il lui fait un 10 salut, lui conte tout son message et lui présente le laüstic.

Quand il lui eut tout dit et montré, le chevalier, qui l'avait bien écouté, fut dolent de l'aventure; mais il n'agit point en vilain ni en homme lent. Il fit forger un vaisselet. Il n'y entra ni fer ni acier: tout entier il fut 15 en or fin, avec de bonnes pierres très chères et très précieuses; on y mit un couvercle qui fermait très bien. Il y déposa le laüstic; puis il fit sceller la châsse et toujours la porta avec lui.

Cette aventure fut contée: on ne put la celer long- 20 temps. Les Bretons en firent un lai. On l'appelle le Laüstic.

LANVAL

I

Le roi preux, le roi courtois, le roi Arthur avait établi
sa cour à Kardœil. Écossais et Pictes ravageaient en effet
le pays, envahissant et saccageant la terre de Loengre.
Donc le roi était à Kardœil, à la Pentecôte en été.

5   Il y distribua force riches présents. Il donna femmes
et terres aux comtes, aux barons, à ceux de la Table
Ronde, qui dans le monde entier n'avaient point leurs
pairs. Il n'en oublia qu'un seul, et celui-là pourtant
l'avait bien servi : c'était Lanval ; le roi ne s'en souvint
10 plus, et ceux de son entourage se turent, car ils n'aimaient
pas le chevalier.

Sa valeur, sa générosité, sa beauté, sa prouesse, étaient
cause que beaucoup l'enviaient ; tel lui montrait semblant
d'amour, qui, en cas de malheur, se serait gardé de le
15 plaindre. Il était de haut parage, étant né d'un roi, mais
son pays était loin. Il faisait partie de la maison
d'Arthur. Or tout son avoir était dépensé ; et le roi ne

*Extrait de l'ouvrage: Les Lais de Marie de France, traduction
de Paul Tuffrau, l'Édition d'Art, H. Piazza, Paris.*

lui donnait rien, et Lanval ne demanda rien. Le voilà
bien mal bailli, bien soucieux. Seigneurs, ne vous en
étonnez pas: l'étranger, que nul ne conseille, est très
dolent sur la terre d'autrui, quand il ne sait où quérir une
aide.   5

Un jour, il monte sur son destrier et part en promenade.
Il descend au bord d'une eau courante; son cheval
bronchait souvent, il le dessangle pour qu'il se vautre au
milieu du pré. Pour lui, il roule son manteau sous son
chef et se couche. Son indigence le rend tout pensif; il 10
ne voit dans l'avenir chose qui lui plaise.

Comme il reposait ainsi, il aperçut deux damoiselles qui
venaient vers lui le long de la rivière; elles étaient étroitement lacées dans deux bliauts de pourpre sombre et leurs
visages étaient clairs et beaux. Elles venaient droit vers 15
la place où le chevalier gisait.

Lanval, qui savait les bons usages, se lève à leur
approche. Elles le saluent d'abord, puis lui font leur
message:

« Sire Lanval, notre damoiselle qui est extrêmement 20
belle et courtoise, nous envoie vers vous. Venez avec
nous! Sans dommage nous vous conduirons près d'elle;
voyez-vous sa tente là-bas? »

Donc le chevalier les suit; de son cheval, qui paissait
devant lui dans le pré, il n'a plus souci.   25

Elles l'amènent jusqu'au pavillon qui est très beau et
très bien tendu. Ni la reine Sémiramis, au temps où elle
avait le plus de fortune, et le plus de puissance, et le plus
de sagesse, ni l'empereur Octavian n'en auraient pu payer
la moitié. En haut est un aigle en or; ce qu'il vaut, je 30
ne puis l'estimer, non plus que les cordes et les piquets qui

tendent les pans de la toile : sous le ciel, il n'y a pas de roi
qui pourrait les acquérir, donnât-il pour cela toutes ses
richesses. Et dans ce pavillon se tient la pucelle. Fleur
de lis et rose nouvelle, quand elles éclosent au temps d'été,
5 ne peuvent égaler sa splendeur.

Elle est étendue sur un lit magnifique, vêtue simplement
de sa chemise. Un riche manteau en pourpre d'Alexandrie, doublé d'hermine blanche, est jeté sur elle pour lui
tenir chaud. Son corps est gent et bien fait, et plus blanc
10 que fleur d'aubépine.

Le chevalier s'avance et la pucelle le convie à s'asseoir :
« Lanval, bel ami, dit-elle, c'est pour vous que je suis
sortie de ma terre ; et ma terre est loin. Si vous êtes
preux et courtois, il n'est comte, roi ni empereur qui ait
15 jamais connu la joie qui vous attend : car je vous aime
sur toute chose au monde ! »

Il la contemplait, il la trouvait belle. Amour le point
d'une étincelle qui éprend son cœur et l'embrase. Il
répond gracieusement :
20 « Belle, s'il m'advenait par bonheur que vous me
voulussiez aimer, vous ne sauriez m'ordonner chose où
je ne m'emploie de mon mieux, que ce soit sagesse ou
folie. Je ferai vos commandements ; je renonce à tout
pour vous seule ; je ne souhaite plus qu'une chose : c'est
25 de ne jamais vous quitter. »

Quand la pucelle l'ouït parler d'un tel amour, elle lui
octroie sa confiance et son cœur. Voilà Lanval en
meilleure voie !

Puis elle lui fait un don : désormais il ne pourra
30 souhaiter chose qu'il n'en ait aussitôt à discrétion. Plus
largement il dépensera, plus il aura d'or et d'argent.

Qu'il donne à poignées, elle lui trouvera de quoi y suffire.
Voilà Lanval bien protégé!

« Seulement, fait-elle, il est une chose, dont je vous
conjure et que je vous commande: ne découvrez notre
amour à personne. Car s'il était su, vous me perdriez à 5
jamais; jamais plus vous ne pourriez me voir. »

Il lui promet d'observer exactement ce qu'elle lui
ordonne.

Voilà Lanval bien hébergé, ensemble avec la dame. Il
passe là les heures de relevée jusqu'à la nuit tombante et 10
il serait bien resté encore si son amie avait consenti.

« Ami, fait-elle, vous ne pouvez demeurer davantage.
Allez-vous-en. Mais sachez ceci: quand vous souhaiterez
ma présence, il n'est point de lieu—de ceux du moins où
l'on peut recevoir son amie sans offense,—où je ne me 15
présente à vous, prête à faire votre plaisir; et nul homme
ne me verra, fors vous, ni n'entendra mes paroles. »

Quand il l'ouït ainsi parler, il en est très joyeux; il la
baise, puis il se lève.

Celles qui l'avaient conduit au pavillon lui passèrent de 20
riches vêtements. Quand il fut ainsi de neuf habillé, il
n'y avait sous le ciel plus beau damoiseau. Elles lui
présentent l'eau et la toile pour ses mains: puis elles
apportent le souper, qui a belle apparence. Il mange à
côté de son amie. On le sert en grande courtoisie et il 25
prend de tout à grande joie. Mais il y a entre chaque
plat un divertissement qui lui plaît mieux que tout le
reste et dont il ne se prive guère: c'est de baiser souvent
son amie et de la tenir étroitement accolée.

Quand ils se sont levés de table, on lui amène son cheval. 30
La selle en est bien sanglée: riche service, celui qu'il a

trouvé là! Il prend congé, monte à l'étrier et s'en retourne vers la cité. Mais souvent il regarde en arrière.

Il est en très grand étonnement; il va pensant à son
aventure et doutant au fond de son cœur. A peine s'il la
5 croit véritable.

Il arrive à son hôtel, il trouve ses hommes bien vêtus.
Cette nuit-là il tint table ouverte; et nul ne sut d'où lui
venait l'argent. Il n'y avait en la ville chevalier ayant
besoin de quelque secours qu'il ne fît venir à lui et servir
10 richement et bien. Lanval faisait les riches dons, Lanval
rachetait les prisonniers, Lanval habillait les jongleurs,
Lanval donnait les grands banquets, Lanval dépensait
largement, Lanval prodiguait l'or et l'argent: il n'y avait
étranger ou familier qui ne tînt quelque chose de Lanval.
15 Et Lanval avait aussi grande joie amoureuse: la nuit, le
jour il appelait à lui son amie, et elle venait. Tout était
à ses ordres.

II

Cette même année, après la fête de Saint-Jean, trente
chevaliers allèrent s'ébattre en un verger, sous la tour où
20 séjournait la reine. Parmi eux était Gauvain, le franc,
le preux Gauvain qui sut se faire tant aimer de tous. Et
Gauvain dit:

« Par Dieu, Seigneurs, nous n'en usons pas bien avec
notre compagnon Lanval qui est si large, si courtois et
25 fils d'un roi si riche, quand nous venons ici jouer sans lui. »

Alors ils s'en retournent, ils viennent à son hôtel, et
emmènent Lanval avec eux à force de prières.

La reine s'était accoudée à une fenêtre taillée dans la

tour; elle avait trois dames avec elle.   Elle voit venir les
familiers du roi et Lanval qu'elle connaît bien.   Elle
appelle une de ses dames, elle l'envoie quérir les plus
délicates et les plus jolies de ses damoiselles, pour descendre
avec elle dans le verger où s'ébattent les seigneurs.   Elle 5
en choisit trente; par les degrés, elles descendent.

A leur rencontre viennent les chevaliers, qui leur font
joyeux et bruyant accueil.   Ils les ont prises par les
mains; cette assemblée n'a rien qui déplaise.   Pourtant
Lanval se retire à l'écart, loin des autres.   Il ne songe 10
qu'à son amie.   Il lui tarde de la voir, de l'accoler, de la
baiser.   La joie d'autrui ne le touche guère, puisque lui-
même n'a pas son plaisir.

Quand la reine le voit seul, elle vient droit à lui.   Elle
s'asseoit près de lui, elle lui découvre son cœur: 15

« Lanval, voilà longtemps que je vous honore et que je
vous aime.   Et vous pouvez avoir mon amour tout entier:
vous n'avez qu'à parler.   Je vous octroie ma tendresse;
faites de moi votre plein vouloir!

—Dame, fait-il, laissez-moi en paix.   Je n'ai cure de 20
vous aimer; j'ai longuement servi le roi, je ne veux pas
mentir à la foi jurée.   Ni pour vous ni pour votre amour,
je ne méferai contre mon seigneur. »

La reine se courrouce; elle est en colère, elle lui parle
méchamment. 25

Quand Lanval l'ouït, il est très peiné; mais il n'est pas
long à la riposte, et dans sa colère il dit ce qu'il n'aurait
jamais dû dire:

« Dame, je n'entends rien à ces vilenies; mais j'en aime
une qui doit avoir le prix sur toutes les femmes que je 30
sais, et je suis aimé d'elle.   Et je vous dirai une chose:

63

sachez-le bien à découvert, une quelconque de ses ser-
vantes, oui, la plus humble de toutes, vaut mieux que
vous, dame reine, pour le corps et le visage et la grâce et
la beauté et la bonté! »

5   Alors la reine le quitte; elle retourne en sa chambre,
tout en pleurs. Elle a grande douleur et courroux de ce
qu'il l'a ainsi avilie. Elle se couche en son lit, malade;
jamais, dit-elle, elle ne s'en lèvera si le roi ne fait droit
à la plainte qu'elle va lui adresser.

III

10   Le roi Arthur revient des bois; tout le jour il a chassé,
il est joyeux; il entre dans la chambre de la reine. Quand
elle le voit, elle s'exclame, elle tombe à ses pieds, elle crie
merci, elle lui dit que Lanval l'a honnie: il l'a requise
d'amour; et parce qu'elle l'éconduisait, il l'a injuriée et
15   avilie sans mesure: il s'est vanté d'avoir telle amie si sage,
si fière et si noble que mieux valait sa chambrière, oui, la
moindre qui la servait, que la reine elle-même. Le roi
entre en un grand courroux; il jure son serment: si Lanval
ne peut se justifier devant la cour, il le fera brûler ou
20   pendre!
    Hors de la chambre sort le roi; il appelle trois de ses
barons; il les envoie chercher Lanval, qui a pourtant assez
mal et douleur.
    Il était rentré à son hôtel; il avait aussitôt compris
25   qu'en découvrant leur amour il avait perdu son amie.
Il s'était enfermé tout seul dans une chambre, anxieux
et angoissé. Là sans cesse il l'appelle, mais ses appels
n'ont plus d'effet. Il se plaint et soupire, se pâme d'instant

64

en instant, puis lui crie cent fois qu'elle ait pitié de son
ami, qu'elle lui parle; il maudit son cœur, sa bouche; c'est
merveille qu'il ne songe à s'occire. Mais en vain il crie
et se lamente, en vain il bat sa poitrine et tord ses mains:
elle ne daigne pas lui apparaître un seul moment. Hélas, 5
que deviendra-t-il?

Ceux que le roi avait envoyés arrivent et lui disent de
venir à la cour sans tarder; la reine l'a accusé, le roi le
mande. Lanval les suit plein de son grand deuil; s'ils
l'eussent cru, ils l'eussent occis sur place. Il arrive devant 10
le roi, pensif et taciturne, ayant le visage et la contenance
que donne une grande douleur.

Le roi lui dit avec colère:

« Vassal, vous avez gravement méfait envers moi!
Vous avez laidement essayé de m'outrager et de me 15
honnir. Et vous vous êtes vanté d'une folie! Vous
l'avez faite trop belle, votre amie, en prêtant à sa moindre
servante plus de beauté et d'excellence que n'en a ma dame
la reine! »

Lanval se défend: il n'a pas voulu déshonorer son 20
seigneur, il n'a point requis la reine; mais pour l'amour
dont il se vanta, il maintient ses paroles: s'il mène un tel
deuil, c'est qu'il l'a perdu. Au reste, il fera ce que la
cour décidera.

Le roi est très irrité. Il envoie chercher tous ses 25
hommes pour qu'ils lui disent franchement ce qu'il doit
faire et qu'il n'en ait point reproche plus tard. Eux font
son commandement: que cela leur plaise ou leur déplaise,
tous sont venus.

Ils décident entre eux que Lanval sera jugé plus tard, 30
mais que jusque-là il devra fournir des garants à son

seigneur; ceux-ci promettront, en engageant leur foi, qu'il attendra son jugement et se présentera au jour fixé; alors la cour sera au complet, car ce jour-là les familiers seuls étaient présents.

5 Les barons reviennent vers le roi. Ils lui disent leur décision. Le roi demande où sont les garants. Lanval est seul, plein de trouble; il n'a autour de lui ni parent ni ami. Gauvain s'avance, qui répond de lui, et tous ses compagnons à sa suite. Et le roi leur dit:

10 « Je vous accepte, sur ce que chacun de vous tient de moi, terres et fiefs. »

Quand Lanval eut trouvé des garants, plus rien ne restait à faire. Il s'en retourne à son hôtel. Les chevaliers l'accompagnent; ils le blâment et l'exhortent de
15 tout leur pouvoir à ne pas mener si grande douleur; ils maudissent son fol amour. Chaque jour, ils vont le visiter pour savoir s'il boit, s'il mange; ils ont grand'peur qu'il ne devienne fou.

IV

Au jour fixé, les barons se rassemblent. Le roi et la
20 reine sont là et les garants amènent Lanval. Il est cité à très grand tort; tous le pensent; tous sont dolents pour lui; je crois qu'il y en a bien cent qui feraient tout pour le voir libre sans jugement. Le roi ordonne que le fait soit exposé, d'abord par l'accusation puis par la défense:
25 maintenant, tout repose sur les barons!

Ils sont allés au jugement, pensifs et troublés, à cause de ce franc homme venu de terre étrangère qui au milieu d'eux est engagé en si mauvais pas. Plusieurs veulent le châtier selon la volonté de leur seigneur. Alors le duc de Cornouailles se lève:

« Jamais de notre part il n'y aura fourberie; qu'on en chante ou qu'on en pleure, le droit doit primer sur tout! ⁵ Le roi a parlé contre un de ses vassaux, que je vous ouïs nommer Lanval; il l'a accusé de félonie, à cause d'un méchant propos sur un amour dont il se vanta, ce qui courrouça fort madame la reine. Il ne l'accuse de rien autre: par ma foi, il n'y a pas là, pour qui veut parler ¹⁰ franchement, matière à sentence, sinon qu'en toute affaire l'homme lige doit honorer son seigneur. Mais de cela un serment le tiendra quitte, et le roi nous le rendra. Et si Lanval peut avancer ses preuves, si son amie peut venir, s'il n'y a que vérité dans les choses qu'il en conte et dont ¹⁵ la reine est toute marrie, son propos lui sera pardonné, puisqu'il ne l'aura pas dit pour l'avilir. Mais s'il ne peut avancer ses preuves, nous devons lui signifier ceci: il a perdu tout droit de servir le roi et doit se tenir pour congédié. » ²⁰

Ils envoient vers le chevalier et lui demandent de faire venir son amie pour se justifier et se garantir. Il leur répond qu'il ne pourrait; désormais, il n'attend plus d'elle aucune aide. Et les messagers s'en reviennent vers les juges: qu'ils n'attendent de Lanval aucune défense ²⁵ désormais.

Or le roi les pressait durement de conclure, à cause de la reine, qui était impatiente.

Comme ils allaient prononcer, voici venir deux pucelles sur deux palefrois qui trottent l'amble. Elles sont par- ³⁰

faitement avenantes, simplement vêtues d'un cendal
pourpre sur leur chair nue. Tous les regardent avec
plaisir.

Gauvain, suivi de trois chevaliers, vient à Lanval, lui
5 conte tout, lui montre les deux pucelles, le prie de désigner
son amie. Et Lanval de dire:

« Je ne sais qui elles sont, ni où elles vont, ni d'où elles
viennent. »

Elles avancent, toujours à cheval; à cheval elles arrivent
10 jusqu'au trône où siège le roi, descendent et le saluent:

« Que Dieu qui fit l'obscur et le clair sauve et garde le
roi Arthur! Roi, faites préparer des chambres, et que
l'on les encourtine de soieries pour que notre dame puisse
y descendre: elle veut être hébergée dans votre hôtel. »

15 Il le leur octroie volontiers, appelle deux chevaliers qui
les font monter vers les chambres. Elles ne disent rien
de plus.

Le roi demande à ses barons le jugement et la sentence:
il est très courroucé de ce que la chose traîne ainsi.

20 « Sire, font-ils, nous nous sommes séparés pour regarder
les dames et nous n'avons rien décidé. Or nous allons
reprendre les débats. »

Donc ils s'assemblèrent tout pensifs. Et clameurs et
querelles recommencèrent.

25 Comme ils étaient dans cette agitation, voici venir deux
pucelles en bel apparat, vêtues de deux bliauts de soie
fraîche et chevauchant deux mules espagnoles. Grande
joie en ont tous les vassaux. Ils se disent entre eux que
maintenant Lanval est sauvé, le preux, le hardi. Gauvain
30 va vers lui, emmenant ses compagnons:

« Sire, fait-il, soyez heureux! Pour l'amour de Dieu,

répondez-nous! Voici venir deux damoiselles, très belles
et très bien parées. L'une est votre amie, à coup sûr! »

Et Lanval de regarder hâtivement; puis il dit qu'il ne
les connaît pas, et qu'il n'en a cure.

Mais les deux pucelles sont arrivées devant le roi; elles ₅
descendent. Tous n'ont que des louanges pour leur corps,
leurs teints, leurs visages; aucune des deux qui ne vaille
mieux que jamais n'a valu la reine.

Toutes deux saluent et font gracieusement leur message:
« Roi Arthur, faites préparer un grand festin pour ₁₀
honorer notre dame; elle vient ici vous parler. »

Il commande qu'on les mène vers les autres qui sont
déjà venues. Pour leurs mules, elles n'en disent mot:
assez sont là qui en prennent soin et les conduisent aux
étables. Et quand Arthur en a fini avec elles, il mande à ₁₅
tous ses barons de prononcer le jugement; le jour est déjà
trop avancé, et la reine s'en courrouce, qui est à jeun
depuis trop longtemps.

Donc ils vont conclure le débat, quand voici qu'à travers
la ville s'élève une rumeur. ₂₀

Une pucelle arrive, à cheval; dans tout le siècle, il n'y
en a point de si belle. Elle chevauche un blanc palefroi
qui la porte avec orgueil et douceur; il est bien fait de
tête et d'encolure: il n'y a pas plus noble bête sous le ciel.
Et sur le palefroi est un riche atour: sous le ciel, il n'y a ₂₅
comte ni roi qui puisse en acquitter la valeur sans vendre
ses terres et sa couronne. Elle-même est vêtue d'une robe
blanche lacée sur ses deux flancs par des fils de soie.
Elle a le corps gent, le cou plus blanc que la neige sur la
branche, le visage clair et les yeux changeants, la bouche ₃₀
belle et le nez droit, les sourcil bruns, le front beau, le

chef bouclé et bondissant; des fils d'or resplendissent
moins que ses cheveux sous le soleil. Son manteau est de
pourpre sombre; elle en a rejeté les pans derrière elle.
Sur son poing, elle tient un épervier, et un lévrier la suit.
5 Un gentil damoiseau chevauche à sa droite portant un cor
d'ivoire. Ils vont très bellement au milieu de la rue. Si
grande beauté ne fut point vue ni en Vénus qui était
déesse, ni en Didon qui était reine, ni en Lavinia.

Petits et grands, vieillards et enfants, courent sur son
10 passage pour l'admirer. Devant sa beauté, on ne sait
que dire.

Elle avance au petit pas. Les juges la voient et la
tiennent pour grande merveille; pas un qui ne l'admire et
qui de belle joie ne s'échauffe. Il n'y a si vieil homme à
15 la cour qui volontiers ne tourne son œil vers elle, et volontiers ne la servirait, pourvu qu'elle le voulût souffrir.
Ceux qui aiment le chevalier viennent à lui, et lui disent
qu'une pucelle approche qui, s'il plaît à Dieu, le délivrera.

« Sire compagnon, en voici une qui arrive, qui n'est ni
20 brune ni blonde; c'est la plus belle de la terre, entre toutes
celles qui sont nées. »

Lanval les entend, il lève un peu la tête; il la voit, il la
reconnaît, il respire. Le sang lui monte au visage; et il
est prompt à parler.

25 « Sur ma foi, dit-il, voici mon amie! Je ne souffre plus,
puisque je la vois. Et je ne veux plus mourir, si elle
m'accorde sa merci! »

La pucelle entre au palais; jamais si belle n'y vint
depuis. Elle descend devant le roi, de sorte qu'elle est
30 bien vue de tous. Et elle laisse choir son manteau, afin
que tous la puissent voir mieux. Le roi, qui connaissait

les usages, se lève et la salue: tous les autres l'honorent et
s'empressent pour la servir. Quand ils l'ont bien regardée
et qu'ils ont assez loué sa beauté, elle parle:

« Arthur, écoute-moi, et vous tous, barons que je vois ici!
J'ai aimé l'un de tes vassaux, le voici, c'est Lanval. Il ⁵
fut accusé devant ta cour et je ne veux pas qu'on tourne
contre lui les paroles qu'il a dites. Sache ceci, que la
reine a tort: jamais il ne l'a requise. Quant à la vanterie
qu'il a faite, si par ma présence il peut en être acquitté,
c'est à vous, barons, de le dire et de le délivrer! » ¹⁰

Ce que les barons jugeront en toute loyauté, le roi
promet de le faire. Pas un qui ne prononce aussitôt que
Lanval est justifié. Leur sentence le fait libre. Et la
pucelle salue Arthur, elle se retire; le roi ne peut la
retenir; les gens se pressent autour de son étrier pour ¹⁵
l'aider à se mettre en selle.

Hors de la salle on avait dressé un grand quartier de
marbre gris d'où les hommes d'armes montaient sur leurs
chevaux quand ils quittaient la cour du roi. Lanval y
court, monte dessus. Quand la pucelle sort de l'huis, il ²⁰
bondit de plein élan sur son palefroi, derrière elle. Et le
palefroi part au galop. Il les emporta, disent les Bretons,
en Avalon, une île belle et merveilleuse.

Ainsi fut ravi le damoiseau. Nul n'en ouït désormais
parler, et je ne puis plus rien vous en dire. ²⁵

NOTES

NOTES

3.—7. **quel gros tourment / Au jouvenceau, son cher amant, Causa l'amour de la fillette** = quel gros tourment l'amour de la fillette causa au jouvenceau, son cher amant.

4.—8. **il avait fait son temps** he had come to the end of his days.

20. *It is difficult to establish a principle by which to differentiate the use of* tu *and of* vous *in Old French. Our translation, in following the Old French text in almost every case in the use of* tu *and* vous, *displays the same disregard for the modern usage. Aucassin's father and mother always address him with* tu *(e. g. pp. 4, 5, 11, 14), while he always uses* vous *(e. g. pp. 4, 11, 14) in speaking to his father. Although Aucassin and Nicolette generally use* vous *in speaking to each other (e. g. pp. 7, 10, 18, 19, 33, 34), there are three cases (in verse) where Aucassin uses* tu *(pp. 16, 34, 35) and one (in verse) where Nicolette uses* tu *(p. 37). In the prose passage beginning on page 29, Aucassin in addressing the peasant uses* tu, *then* vous *and finally reverts to* tu, *without any apparent reason for the changes. The peasant uses* vous. *The sentinel in his serenade uses* tu *(p. 20) and Nicolette replies in prose with* tu *(p. 21), possibly because the spirit of her reply is inspired by the sentinel's verse and by her feeling of gratitude to him.*

24. **Dieu ne m'accorde** *pres. subj.*

6.—24. **Prenez garde à vous** Beware.

7.—15. **s'appeler** *complement of* vit *in line* 12.

22. **Je ne vous déplais pas moi-même** You do not dislike me.

29. **S'il se peut faire** = S'il peut se faire If it can be done.

9.—16. **jamais ne la reverrez** = jamais vous ne la reverrez.

17. **et que votre père vînt** = et si votre père venait . . .

10.—7. **Qu'on n'en saurait** = tels qu'on n'en saurait.

9. **Au doux aller, au doux retour** Whose coming and going are so sweet.

19. **à regretter** longing for.

11.—12. **faire le dois** = tu dois le faire.

15. **où je frappe chevaliers ou chevaliers me frappent** *The mode is subjunctive.*

12.—26. **qu'un chevalier le peut tuer** *This clause is an additional complement of* songe.

13.—15. **et qu'elle continue** = et si elle continue.

14.—11. **et que je suis allé** = et quand je suis allé.

29. **tout le temps que vous serez en vie** *Use of fut. tense as with* quand, aussitôt que, *etc.*

15.—6. **que je ne vous les donne** that I wouldn't give them to you.

10. **Dieu ne m'aide jamais** *pres. subj.*

27. **Et pleure ce que je vous dis** = Et pleure en disant ce que je vous dis.

16.—23. **Au doux aller, au doux retour** *See note to p. 10, line 9.*

17.—15. **et que le comte Garin vînt à** = et si le comte Garin venait à.

18.—3. **qui se renversaient par-dessus** which bent back (over her instep).

20.—14. **fait-elle** he says; **elle** *agrees in gender with* sentinelle. *In line 24,* il *is used.*

16. **prévenir** *has two complements, one an inf.* laisser, *the other a subj.* s'en gardât.

25. *The sentinel gives warning in a serenade ostensibly sung for his own amusement.*

21.—22. **que si tout le peuple ébahi vient** than if, i. e., than that the whole gaping mob should come.

26. **ce que c'est que d'être blessés** what it is to be hurt.

76

22.—8. qui avait au moins trente lieues de long et de large which was at least thirty leagues long and wide.

23.—24. qu'il vienne that he should come *subj. after* dire *implying command.*

24.—1. Que je le lui dise? i. e., Vous voulez que je le lui dise?

13. jamais ne sera guéri = jamais il ne sera guéri.

25.—13. Dieu, tout vérité God, who is wholly truth.—16. Et qu'un instant ne s'y repose = Et s'il ne s'y repose pas un instant.

26.—14. dont mieux vous sera i. e., qui vous fera du bien.

28.—4. osât = oserait *subj. in adj. clause with indefinite antecedent.*

29.—11. je suis *1st sing. pres. ind. of* suivre.

13. Voir vos yeux, voir votre sourire, / J'en ai le cœur, tant le désire, / Navré d'amour = Je désire tant voir vos yeux, voir votre sourire que j'en ai le cœur navré d'amour.

17. encor *is used instead of* encore *in order to provide a masculine rhyme with* fort *in line above.*

25. l'eût suivi could have followed him.

30.—10. à deux envers with both sides wrong sides. *This expression is undoubtedly intended to be humorous here, especially in view of its use in connection with the verb* affubler.

13. Dieu t'aide = que Dieu t'aide *pres. subj.*

14. Dieu vous bénisse = que Dieu vous bénisse *pres. subj.*

29. Bien sot qui vous estimera = Celui qui vous estimera est bien sot.

31. donnât = donnerait, *and* fût = serait *see note to p.* 28, *line* 4.

31.—11. Pour tout bien au monde As my whole wealth.

19. Bien sot qui *see note to p.* 30, *line* 29.

32.—13. tout en rampant while crawling, by crawling; tout *simply emphasizes the construction* en + *present participle.*

17. voi *is used instead of* vois *in order to provide a singular rhyme with* toi *in line* 19. *Although final* s, x *and* z *are not pronounced and although they are not used as signs of the plural (as in* je vois), *they may not be used in rhymes with words that do not have these endings.*

22. *Several lines are missing in the Old French manuscript at this place which is torn.*

27. fussé-je = si j'étais.

33.—19. et qu'on nous trouve *see note to p. 25, line* 16.

22. si je puis if I can do anything about it.

34.—15. Que ce soit par n'importe quoi . . . No matter through
what or where it be, mountain or plain.

18. D'autre soin ne me mets en peine = je ne me mets en
peine d'autre soin.

35.—8. maintes aventures *The translator has omitted at this point
three sections in verse and two in prose which tell of the ad-
ventures of Aucassin and Nicolette at the court of the King of
Torelore.*

24. m'amiette; m' *stands for* ma; *it was used in Old French
instead of* mon *before feminine nouns beginning with a vowel
or* h *mute.*

28. où je ne t'allasse chercher = où je n'irais pas te chercher.

37.—8. Fasse Dieu = que Dieu fasse.

26. viole *The Old French version has* vielle medieval hurdy-
gurdy. *The translator probably uses* viole *for the rhyme with*
Nicole, *see page* 38, *lines* 23 *and* 24. *See also his use of the
verb* vieller, *page* 38, *line* 9.

39.—1. vous pouvez m'en croire you may believe me as to this.

23. Qu'au grand jamais pour son baron / Nul homme ne
prendra = Qu'elle ne prendra jamais nul homme pour son
baron.

40.—11. tant fût-il riche no matter how rich he might be.

17. tant fût haut son parage *see note above.*

19. je n'en serais pas à me mettre à sa recherche I wouldn't
be setting out to look for her.

41.—4. éclaire celandine (an herb used to cure warts and jaundice)
Its use here is not clear; see Mario Roques, *Aucassin et Nicolette,* Paris, 1925, *Glossaire,* s.v. *Andrew Lang translates it by*
eyebright (an herb used in treating diseases of the eye).

42.—4. image *This reference to a picture in the text does not exist
in the Old French version.*

9. Mais quand le jour vint à se faire But when day-light
came on.

Le Chèvrefeuille

45.—3. la reine *Iseult, heroine of the legend of Tristan and Iseult.*

46.—3. Il leur demandait leurs nouvelles, ce que faisait le roi He asked them for news, and what the King was doing.

9. qu'il ne la vît = sans qu'il la vît.

30. depuis longtemps il était là he had been there for a long time.

30. à l'attendre et à l'épier waiting and watching for her.

47.—4. vient-on à les séparer = si l'on vient à les séparer.

6. ainsi est de nous = il en est ainsi de nous.

19. Goatleaf (gotelef *in the Old French text) This is apparently not an Old English word but a literal translation of the components of Old French* chievrefueil (*modern French* chèvrefeuille), *made by Marie de France herself.* Cf. Lat. caprifolium *and Germ.* Geisblatt.

Les Deux Amants

48.—3. le lai que voici the lay we have here.

49.—8. ses bras *the possessive adjective refers to* quiconque.

15. à donner to be given away.

21. et que le roi = et comme le roi.

22. et lui l'en remercia; lui *is a disjunctive pronoun used as subject of* remercia.

50.—13. Elle est She has been.

51.—6. à la boire on drinking it.

10. qu'il la lui donne = s'il la lui donne.

21. arrive le premier is the first to arrive.

52.—10. s'écrirait = s'écrierait *syncope used chiefly in verse; compare the two spellings* remercîment *and* remerciement.

11. tout cela aurait tôt fait de me troubler it wouldn't be long till all that would bewilder me.

13. les deux tiers i. e., les deux tiers du chemin.

30. elle est dolente plus que jamais fille ne fut she is more sorrowful than any maiden ever was.

LE LAÜSTIC

54.—5. **Dans le pays de Saint-Malo** In the country near Saint-Malo.

55.—21. **s'y adonne** i. e., s'adonne à son amour.

24. **et que son seigneur** = et quand son seigneur.

27. **qu'elle savait là** whom she knew to be there.

56.—6. **l'ouïr** to hear it.

18. **que je vous parle** = pour que je vous parle.

57.—13. **il n'agit point en vilain ni en homme lent** he did not act basely nor was he slow to act.

LANVAL

60.—2. **donnât-il** = même s'il donnait.

26. **d'un tel amour** with such love.

30. **qu'il n'en ait aussitôt à discrétion** that he would not get all he wanted of it at once.

61.—1. **Qu'il donne** = s'il donne.

62.—20. **La reine** *Guinevere, wife of King Arthur.*

63.—9. **n'a rien qui** has nothing about it which.

65.—1. **qu'elle ait pitié de son ami, qu'elle lui parle** that she should have pity on her friend and that she should speak to him.

6. **que deviendra-t-il** what will become of him?

21. **il n'a point requis la reine** = il n'a point requis la reine d'amour.

23. **c'est qu'il** = c'est parce qu'il.

27. **et qu'il n'en ait point** = et pour qu'il n'en ait point.

28. **que cela leur plaise ou leur déplaise** whether they like it or not.

67.—4. **qu'on en chante ou qu'on en pleure** *See note above.*

24. **Et les messagers s'en reviennent vers les juges: qu'il n'attendent** *Supply* en disant *to replace the colon;* attendent *is subjunctive.*

68.—6. **Et Lanval de dire** = Et Lanval dit *This is the historical infinitive; it has the same value as the past definite.*

13. et que l'on les encourtine de soieries and let them be hung with silks.

69.—3. Et Lanval de regarder = Et Lanval regarda *See note to page* 68, *line* 6.

7. aucune des deux, etc. either of them is worth more than the queen was ever worth.

17. est has been.

21. il n'y en a point de si belle there is none so beautiful.

23. bien fait de tête et d'encolure well formed in head and shoulders.

30. yeux changeants *This is an attempt to translate Old French* vair. *Some think that the word referred to the sparkle of the eyes, some to their changing color, and some to both the sparkle and the color.*

70.—9. courent sur son passage run up to where she is passing.

71.—3. et qu'ils ont = et quand ils ont.

8. jamais il ne l'a requise *See note to page* 65, *line* 21.

10. c'est à vous . . . de it is up to you . . . to.

VOCABULARY

VOCABULARY

Obvious abbreviations of grammatical terms are used where it is
deemed necessary. The asterisk is used to mark words beginning
with aspirate *h*. Feminines of adjectives which are formed by
the simple addition of *e* are not given. Words and expressions
that are archaic in use, form or meaning are indicated thus: (*old*).

A

à to, for, at, against, on, in,
with

abandonner to abandon, leave;
s'— à to give oneself up to

abattre to strike down; **abattu**
depressed, dejected

aboi *m.* bark, barking; **aux —s**
at bay

abord *m.* approach; **d'—** first,
at first; **tout d'—** at the very
beginning

aborder to approach, come up

aboutir to reach the goal

abreuver to sprinkle, soak

accepter to accept

accoler to embrace

accompagner to accompany

accord *m.* concord, harmony;
see **faire**

accorder to grant

accouder: s'— to lean on one's
elbows

accourir to run up, approach

accueil *m.* welcome; **— généreux** hospitality, affability

accusation *f.* prosecution

accuser to accuse

acheminer: s'— to set out, direct one's steps

acheter to buy

acier *m.* steel

acquérir to acquire, get

acquitter to clear, acquit; pay;
s'— de to fulfil

adieu farewell

admirer to admire, wonder at

85

adonner: s'— à to give oneself
up to

adresser to address, send, make
(a complaint)

advenir to happen; — de to
happen to

affaire f. affaire, business, matter

affliger to grieve, pain

affubler to wrap up; dress
ridiculously

afin de in order to; afin que in
order that, so that

âge m. age

agir to act

agitation f. excitement, stir

ah ah!

aide f. aid, help; see être,
quérir, venir

aider to help; si Dieu m'aide,
si Dieu vous aide God willing

aigle m. eagle

aigu sharp, pointed

aiguillonner to spur on, in-
cite

aimer to love, like; — mieux
to like better, prefer

ainsi thus, so, in this way, that
way

air m. air

aise f. joy, gladness; adj. bien
— happy

aisément easily

Alexandrie f. Alexandria (city
in Egypt founded by Alex-
ander the Great)

alléger to lighten; s'— to les-
sen one's weight

allégresse f. joy, glee

Allemagne f. Germany

aller to go, go along; suit, become; s'en — to go away,
leave; s'en — mourir to pine
away; allons come!

allonger to extend, stretch out

allure f. gait; à grande — at
a great pace, at a gallop

alors then; — que when, at the
time when

amant m. lover, beloved

amante f. sweetheart

amble m. amble; see trotter

âme f. soul, heart

amender to improve

amener to bring, lead

amer, -ère bitter

ami m. friend, lover; adj.
friendly

amie f. friend, lady-love, beloved

amiette f. (old) dear little
sweetheart; m'— my little
dear; see note to p. 35, 24

amour m. love, love affair; f.
and f. pl. love; see requérir

amoureux, -euse loving, of love

an m. year

ancien, -ne ancient, old

anglais English; les Anglais
the English

angoisse f. anguish; à grande
— in great anguish

angoissé tortured, in anguish

anxieux, -euse worried, anxious
apercevoir to perceive, notice
apitoyer: s'— to be moved to pity
apparaître to appear
apparat m. pomp, ceremony; en bel — with great pomp
apparence f. appearance
appartement m. apartment, rooms, quarters
appartenir to belong
appel m. call
appeler to call; s'— to be called, named
apporter to bring
apprendre to learn, find out; inform; s'— to teach oneself
apprêter to prepare
approche f. approach
approcher to come near, approach; s'— to come near, approach
appuyer to press; s'— to lean
après after
arbalète f. crossbow; see portée
arçon m. saddle-bow
ardent fiery, spirited
argent m. silver; money
armer to arm; s'— to take up arms
armes f. pl. arms; see homme
armure f. armor
arracher to tear away, snatch
arrêter to stop; decree; s'— to stop
arrière behind; en — back, backward

arriver to arrive, come, come to; happen; — de to become of
art m. art
Arthur Arthur (legendary king of Britain, central figure of a great series of romances; supposed to have lived in the sixth century)
assaillir to attack
assaut m. attack, assault
assemblée f. meeting, gathering
assembler: s'— to assemble, meet, gather
asseoir: s'— to sit, sit down
assez enough; — peu little enough
assis seated
assuré sure, certain
assurément surely
atour m. adornment
attacher to fasten
attarder: s'— to tarry, linger
atteindre to reach
atteler to hitch; attelé de drawn by
attendre to wait, wait for, await; — que to wait until
attentif, -ve attentive, mindful
attester to call to witness
attirer to attract, draw forth
aubépine f. hawthorn
Aucassin *only son and heir of Count Garin de Beaucaire*
aucun no, not any, none
au-dessus de above
aujourd'hui today

auprès near

aurore *f.* dawn

aussi also, too; as, so; and so, therefore; — ... que as ... as

aussitôt at once, immediately; — que as soon as

autant as much, as many; the same; d'— just that much, to that extent

autel *m.* altar

autour de around

autre other; — que other than; *see* chose, rien

autrefois formerly, in former times

autrui *m.* others, other people

Avalon Avalon (island of the blessed)

avancer to advance, go forward; bring forward, put forth; s'— to advance; trop avancé too far advanced

avant *prep.* before; — que *conj.* before; en — de in front of

avec with

avenant pleasing, comely

avenir *m.* future

aventure *f.* adventure, strange event; à l'— at random

avertir to warn, inform

avilir to vilify, revile

aviser to espy, descry; reflect, think it over

avoir to have, possess; get; — à to have to; il y a there is, there are; ago; il y a ...

que for; — besoin de to need; — colère to be angry; — coutume de to be accustomed to, be wont to; — cure de to have a liking for, care for; — deuil to be grieved; — envie de to desire, wish; — grand'peur to be greatly frightened; — nom to be called, have as a name; — peur to be afraid, scared; — regret to regret, be sorry; — souci de to care for *or* about, have a liking for; — tort to be wrong; *m.* possessions

azur azure, blue

B

bachelier *m.* (*old*) young man, bachelor (a young knight not powerful enough to display his own banner)

baguette *f.* rod, stick

bah ha! nonsense!

baigner to bathe

bailler (*old*) to give

baillir (*old*) to treat; mal bailli ill-treated

baiser to kiss; *m.* kiss

bander to bandage

banquet *m.* banquet, feast

baptiser to baptize

baron *m.* baron, lord

barrière *f.* barrier

bas, -se low; en — below, down; tout — in a very low voice

bataille *f.* battle, fight

bâtir to build

bâton *m.* staff, crook, stick

battre to beat

beau, bel, belle beautiful, fair, handsome, fine, glorious, good; belle fair lady; *see* joie, milieu

Beaucaire *town on the Rhone between Avignon and Arles*

beaucoup much, many, very much, very many

beauté *f.* beauty

bel *see* beau

belle *see* beau

bellement gently

bénir to bless; béni blessed

berger *m.* shepherd

besoin *m.* need; point n'est — there is no need, it is not necessary; *see* avoir

bête *f.* beast, animal; — fauve wild beast

bien well, rather, indeed; very, quite, fully; good-looking, well-formed; *m.* property, possessions, prosperity; good, goodness; si — que with the result that; *see* davantage, faire, trouver, vouloir

bien-aimée *f.* sweetheart, beloved

bientôt soon

bienvenu welcome; soyez le — welcome!

blâmer (de) to blame (for), find fault with (for)

blanc, -che white

blé *m.* wheat, wheat field

blesser to wound, hurt, injure

bliaut *m.* (*old*) close-fitting garment

blond light, light-haired, flaxen

blondine *f.* light-haired girl

blottir: se — to squat down, to crouch down.

bocage *m.* grove

bœuf *m.* ox, bull

boire to drink

bois *m.* woods

boisson *f.* beverage, drink, potion

bon, -ne good, kind; *see* faire

bondir to leap

bondissant bobbing up and down

bonheur *m.* happiness; good luck

bonnement good-naturedly

bonté *f.* goodness

bord *m.* edge, shore; au — de l'eau on the shore, at the water's edge

bouche *f.* mouth

boucle *f.* curl, ringlet

bouclé curly

Bougars *Count of Valence, enemy of Garin de Beaucaire*

bourgeois *m. pl.* townspeople, citizens

bourse *f.* purse, pocket-book

bout *m.* end, tip

braies *f. pl.* breeches

branche *f.* branch, bough

Brangien *maid of Iseut*
bras *m.* arm
brebis *f.* sheep
bref *m.* (*old*) letter
Breton *m.* Breton (native of Brittany, a former province of northwestern France)
breuvage *m.* drink
bride *f.* bridle
brider to bridle
brillant bright, shining, dazzling
briser to break, crush; se — to break
broder to embroider
broncher to stumble, trip
bruit *m.* noise, rumor
brûler to burn
brun brown, dark, dark-haired
bruyant noisy, loud
buisson *m.* thicket, underwood; bush

C

çà (*old*) here
cacher to hide, conceal; se — to hide
campagne *f.* campaign; *see* mettre
cape *f.* cloak
captif *m.* captive, prisoner
captive *f.* prisoner, slave
car *conj.* for, because
caresse *f.* caress
caresser to caress, fondle

carré square
carreau *m.* bolt, quarrel
Carthage *ancient city on the northern coast of Africa near the present site of Tunis. The city mentioned in our poem is rather Carthagène (Cartagena) in Spain, in the province of Murcia, on the Mediterranean Sea, the Carthaginian head-quarters in Spain during the Punic War*
cas *m.* case
casque *m.* helmet
casser to break
castel *m.* (*old*) castle
cause *f.* cause; à — de because of, on account of
causer to cause
ce, cet *m.* cette *f.* ces *pl.* this, that, these, those; — . . . -là that; ce que that which, what; ce qui which, a thing which, that which, what; de ce que at the fact that; ce it; that; *see* pour
ceci this
ceinture *f.* waist
cela that
celer to conceal, hide
celle *see* celui
celui *m.* celle *f.* ceux *m. pl.* that, those; celui-là that person; celle-là that one; ceux-ci these, these men; ceux-là those; celui que that which, he whom; celui qui he who,

him who, the one who; *see* dedans

cendal *m.* (*old*) taffeta

cent hundred, a hundred

cercueil *m.* coffin

cerf *m.* stag

cerise *f.* cherry

certainement certainly, truly

certes surely, indeed

cervelle *f.* brains

cesse *f.* ceasing; sans — ceaselessly, constantly

cet *see* ce

cette *see* ce

ceux *see* celui

chacun each, each one

chagrin *m.* grief, sorrow; *adj.* sad, sorrowful

chair *f.* flesh

chambre *f.* room, chamber

chambrière *f.* (*old*) chambermaid

changeant changing in color; *see note to p.* 69, 30

chanson *f.* song

chant *m.* song, tune

chanter to sing

chape *f.* cape, cloak

chaque each, every

charger (de) to charge, entrust (with)

charmant charming, delightful

charmer to charm away

charrue *f.* plough

châsse *f.* shrine, reliquary

chasser to hunt, chase, drive out

châtaignier *m.* chestnut tree

château *m.* castle

châtier to chasten, punish

chaud warm; *see* tenir

chaussé shod

chaussure *f.* shoes

chef *m.* (*old*) head

chemin *m.* road, way; *see* passer

cheminer to journey, make one's way

chemise *f.* tunic

cher, chère dear, expensive

chercher to look for, seek; — à to seek, try to; *see* envoyer

chérir to cherish

cheval *m.* horse; à — on horseback; *see* homme, sergent

chevalerie *f.* knighthood, chivalry

chevalier *m.* knight

chevaucher to ride, ride away; en chevauchant on horse-back

cheveux *m. pl.* hair

chèvre *f.* goat

chèvrefeuille *m.* honeysuckle

chez at, to *or* in the house *or* home of

chichement stingily, niggardly

chien *m.* dog

choir (*old*) to fall

choisir to choose

chômer to idle, rest

chose *f.* thing, affair; anything; autre — anything else; toute — everything, anything in the world, anything else

ciel *m.* sky, heaven; *see* plaire
cinq five
cité *f.* city
citer to summon
clair bright, fair, light; limpid,
clear; *adv.* brightly; *see* faire
clameur *f.* outcry, clamor
clerc *m.* clerk
cœur *m.* heart; *see* tenir
col *m.* (*old*) neck, shoulder
colère *f.* anger; *see* avoir
combien how much
commandement *m.* command,
bidding
commander (à) to order, command
comme as, like, how; tout —
just as
commencer to begin
comment how
compagnie *f.* company
compagnon *m.* companion
comparaison *f.* comparison
complet, -ète complete; au —
full
comprendre to understand
compte *m.* account, reckoning
compter to count; tout compté
taking everything into consideration
comte *m.* count
conclure to finish
condition *f.* condition, terms;
à la — que on condition that
conduire to lead, lead away,
take away; drive
confiance *f.* confidence, trust

confier to confide, trust
congé *m.* leave; *see* prendre
congédier to send away, put
out
conjurer to conjure, entreat
connaître to know
conquérir to obtain, win
conseil *m.* advice, piece of advice
conseiller (à) to advise
consentir to consent
consolateur *m.* consoler, comforter
consoler to console, comfort; —
de to console for
Constantinople *capital of the
Byzantine Empire*
conte *m.* story, tale; *see* faire
contempler to contemplate, gaze
on
contenance *f.* bearing, appearance
contenir to contain
conter to tell, relate
continuer to continue
contre against, to; *see* courroucer
contrée *f.* country, land, countryside
convenir (de) to admit, agree
convier to invite
convoquer to call together,
summon
cor *m.* horn
corbieu (*old*) by heaven!
corde *f.* cord, rope
Cornouailles Cornwall (former

92

legendary kingdom in south-western England)

corps *m.* body; life

corsage *m.* body, form

cortège *m.* procession

côté *m.* side; direction; à — de beside, at the side of; à ses —s at his side; de ce — in this direction; de l'autre — from the other side

cou *m.* neck

coucher to sleep; se — to lie down; couché lying, lying down, stretched out

coudrier *m.* hazel

couler to run, flow

coup *m.* blow, stroke; à — sûr surely, most certainly; tout à — suddenly

couper to cut

couple *m.* couple, pair

cour *f.* court; *see* faire

courage *m.* courage, heart

courant running; *see* eau

courir to run; sail

couronne *f.* crown

courroucer to anger, make angry; se — to get angry; courroucé angry, wrathful; courroucé contre angry with

courroux *m.* anger, wrath

courte-pointe *f.* counterpane, quilt

courtois courteous, well-mannered

courtoisement courteously

courtoisie *f.* courtesy, politeness

cousine *f.* cousin, relative

couteau *m.* knife

coutume *f.* habit, custom; *see* avoir

couvercle *m.* cover, lid

couvert covered

craindre to fear

créature *f.* creature (i.e., the child Jesus)

créneau *m.* battlement

crevasse *f.* crevice, chink

crever to burst, break; put out

cri *m.* cry, outcry; à grands —s with loud screams

crier to cry, cry out; — merci to cry mercy

croire to believe, think, deem

croix *f.* cross

cruel, -le cruel

cruellement cruelly

crypte *f.* crypt

cuir *m.* hide

cure *f.* (*old*) care, concern; *see* avoir

D

daigner to deign, condescend

dame *f.* lady

Dame-Dieu *m.* (*old*) Lord God

damoiseau *m.* (*old*) page, young lord

damoiselle *f.* (*old*) lady, gentlewoman

dans in, into, within

davantage more; any longer; bien — much more

de of, from, with, by; — + *numeral* than

débarquer to land, disembark

débat *m.* debate, discussion; *pl.* trial

débonnaire gentle, clement, indulgent

debout standing

débuter to begin

déchirer to tear, rend

décider to decide

décision *f.* decision

déconfit discomfited, undone

découvrir to discover, find, find out; reveal, open; **à découvert** plainly, openly

dedans inside, within; **ceux de — those** inside; **en — inside**; **là — in there**, within

dédommagement *m.* compensation, amends

déesse *f.* goddess

défendre to defend, protect

défense *f.* defense

défermer to open, unbar

défier: se — to mistrust, distrust

degré *m.* step

déguiser to disguise

dehors outside; **en — outside**

déjà already

délicat fine, dainty

délice *m.* delight, joy

délié glib, ready, fluent

délivrer to deliver, free

demain tomorrow

demander to ask, ask for; sue for

démettre to dislocate, put out of joint

demeure *f.* dwelling, home

demeurer to live, dwell; remain

demi-pâmé half swooning, half fainting

denier *m.* penny; **—s** money; *see* **sol**

dénoncer to give information against, betray

dénonciation *f.* accusation

dent *f.* tooth

dépenser to spend

déplaire (à) to displease, to be not liked (by); be unpleasant

déployer to unfold; spread (a sail)

déposer to place, deposit, put down

depuis since, for; *adv.* since; **— que** since; *see* **longtemps**

derrière behind; **par — in** back; *see* **porte**

dès que as soon as

descendre to descend, get down, go down; alight, dismount; stay, put up

désespérer to drive to despair; **se — to despair**, be in despair

déshériter to disinherit

déshonorer to dishonor

désigner to point out

désir *m.* desire, wish

désirer to desire, wish

désoler: se — to lament, grieve;

désolé disconsolate, distressed

désormais henceforth, from this time on

dessangler to ungird, remove the saddle of

dessous under; **en —** below

dessus above, on top; on it; **en —** above

destrier *m.* steed, charger

détacher to separate, free

détruire to destroy, ruin

deuil *m.* sorrow, grief; *see* **avoir, mener**

deux two, both; *see* **tout**

devant before, in front of; **par — ** in front

devenir to become

devers (*old*) towards, in the direction of

deviser to talk, chat

devoir must, ought, should, to have to, be to, be expected to

dévorer to devour, eat up

diable *m.* devil; **au —** away with, avaunt!

Didon *f.* Dido (Phœnician who founded and became queen of Carthage; heroine of the fourth book of Virgil's *Æneid*)

Dieu *m.* God; heavens!; **— merci** thank heaven!; **de par — ** by heaven, in God's name; **par —** by heaven, by God!; **pour —** for heaven's sake!

digne worthy

dire to tell, say; **ne — mot** to say nothing, to say not a word; **— vrai** to tell the truth; **dit** agreed to; *see* **ouïr**

diriger to guide, direct; **se —** to go, betake oneself

discrétion *f.* discretion; **à —** at one's pleasure

disparaître to disappear

disposer to place

distraire to separate, divert

distribuer to distribute, give away

divers varied

divertissement *m.* diversion, amusement

diviser to divide; **se — to** branch out

dix ten

doigt *m.* finger; **— du pied** toe

dolent mournful; **— de** grieved at

dommage *m.* harm, injury; **quel — ** what a pity!

don *m.* gift

donc therefore, and so, then; pray

donjon *m.* keep, donjon

donner to give, give away; **— sur** to overlook, face

dont whose, of whom, of which, from which, with which, about which

dormir to sleep

doubler to line

doucement gently, softly

douceur *f.* sweetness, gentleness, ease

doué endowed

douleur *f.* grief, sorrow, pain, ache; *see* mener

douloir (*old*): se — to complain, grieve

doute *m.* doubt; sans — doubtless

douter to doubt

doux, douce sweet, gentle, mild

douze twelve

drap *m.* cloth, sheet

dresser to erect, set up

droit *m.* right; *adj.* right, straight; tout droit straight ahead; droite right side; à droite to the right; *see* faire

dûment duly

durement hard, strongly

durer to last, endure, stand

E

eau *f.* water; — courante stream; *see* bord

ébahi wonder-struck, gaping in wonder

ébattre: s'— to play, frolic, amuse oneself

écart *m.* stepping aside; à l'— aside, aloof

écarter: s'— to step aside from, stand aside from

échapper to escape; — à to escape from, get out of the reach of; s'— de to escape from, break away from

échauffer: s'— to be stirred, get excited

éclaire *f.* greater celandine; *see* *note to p.* 41, 4

éclairer to light, light up

éclater to burst; *see* faire

écloppé *m.* lame person

éclore to open

éconduire to dismiss, send away, show to the door

écorcher to skin

Écossais *m. pl.* Scots

écouter to listen to

écrier: s'— to cry out, exclaim

écrire to write

écrit *m.* writing; par — in writing

écu *m.* shield

écurie *f.* stable

écuyer *m.* squire, man-at-arms

effet *m.* effect; en — indeed

efforcer: s'— to exert oneself, strive

effort *m.* effort

égaler to equal

élan *m.* spring, jump; de plein — with a full swing; *see* prendre

élancer: s'— to dash forward

électuaire *m.* electuary (a medicine composed of powders and honey)

élever to raise, bring up; s'— to arise; élevé high

elle she, it, her

elle-même herself, she herself

elles *f. pl.* they

96

embraser to set on fire

embrasser to embrace, kiss

émerveiller: s'— to wonder, be amazed; émerveillé wonder-struck, amazed

émir *m.* emir (high official in Mohammedan countries)

emmener to take away, lead away

emparer: s'— de to seize

empêcher to prevent, keep (from)

empereur *m.* emperor

employer to use, employ; s'— to exert oneself, occupy one-self

emportement *m.* eagerness, rage; avec — fiercely, in anger

emporter to carry away, carry off; l'— sur to overcome, get the better of

empresser: s'— to hasten, be eager; to flock, bestir oneself

en in, into, to; as, as to; *pron.* of it, from it, by it, at it, for it, with it, of him, about her, because of them, of them; as to it; from here, from there

enclore to enclose, encircle

encolure *f.* shoulders

encor *poetic form of* encore

encore still, yet; besides, more-over; *see* fois

encourtiner (*old*) to hang, adorn

endolori pained, grieved

endroit *m.* place, spot

enfant *m. & f.* child; toute pe-tite — when but a little child; toute — when but a child

enfer *m.* hell

enfermer to shut in, confine

enfin finally, at last

enfoncer to drive down; s'— to go far, penetrate

enforcer (*old*) to strengthen

enfouir to bury

enfuir: s'— to flee

engager to pledge; entangle

engin *m.* (*old*) trap

enlacer to entwine

enlever to kidnap, abduct; — à to take away from, take off

ennemi *m.* enemy

ennui *m.* weariness, troubles, boredom

enrouler to roll, coil

ensanglanter to stain with blood

ensemble together

entendre to hear; understand; — à to consent to, approve of

entier, -ère whole, entire, com-plete; tout — in its entirely, throughout

entourage *m.* entourage, attend-ants

entourer to surround, bind

entr'aimer: s'— to love each other

entre between, among, in; — eux together; to each other

entre-baiser: s'— to kiss each other

entr'échanger to exchange

entrer (dans, à) to go in, enter

entretenir: s'— de to discuss, talk about

envahir to invade

envelopper to wrap up

envers *m.* wrong side; *prep.* to, towards

envie *f.* desire; *see* avoir

envier to envy

envoyer to send; — chercher to send for, send to look for

épais, -se thick, deep

épargner to spare

épaule *f.* shoulder

épée *f.* sword

éperon *m.* spur

éperonner to spur, spur on

épervier *m.* hawk

épier to watch for

épine *f.* thorn

épouser to marry

éprendre: s'— de to fall in love with; éprendre (*old*) to inflame

éprouver to test, try

épuiser: s'— to become exhausted, worn out; épuisé exhausted, worn out

errer to wander

esclavage *m.* slavery

esclave *m. & f.* slave

Espagne *f.* Spain

espagnol Spanish

espoir *m.* hope

esprit *m.* mind

esquiver: s'— to slip away, slip out

essayer to try; s'— to try one's hand

estimer to esteem; estimate

et and; — . . . — both . . . and

étable *f.* stable

établir to establish

étage *m.* story, floor

été *m.* summer; *see* temps

étendre to stretch out

éternité *f.* eternity

étinceler to twinkle, glitter

étincelle *f.* spark

étoile *f.* star

étonnement *m.* wonder, astonishment

étonner: s'— to be surprised

étourdir to startle, deafen; étourdi stunned

étranger, -ère strange, foreign; étranger *m.* stranger, foreigner

être to be; — à to belong to; — de to participate in; il est there is, there are; — en aide to help, keep, protect; c'est, ce sont it is, there is; il en est de it is with; c'est vérité it is true; soit . . . soit either . . . or; que ce soit . . . ou whether it be . . . or

étreindre to clasp, press close

étrier *m.* stirrup; *see* mettre, monter

étroit narrow

étroitement closely, tightly

eux them, themselves, they

éveiller to awaken; s'— to get awake

exactement exactly, strictly

excellence *f.* excellence, excellency

exception *f.* exception; à l'— de with the exception of, except

exclamer: s'— to cry out

exhorter to exhort, urge

exister to exist

expert expert

exposer to explain, make known

extrême extreme, intense

extrêmement extremely

F

fâché sorry

facilement easily

façon *f.* manner, way; de cette — in this way

faible feeble, weak

faim *f.* hunger

faire to make, do, finish; say; cause, have; bring it about; — accord avec to come to terms with; n'avoir que — avec to have no use for; n'avoir que — de to have nothing to do with, have no need of; — si bien que to bring it about that, manage to; — bon to be advisable, be safe; — clair to be bright, be day-light; — un conte to tell a tale; — la cour à to pay court to, pay attendance to; — droit à to right, do justice to; — éclater to break open; — une fête to hold a feast; — grande fête *or* grand'fête à to give a warm reception to; — honte à to bring shame, dishonor to; — de même to do the same thing; — un message à to give a message to; — monter to show the way up to; — mourir to put to death, have killed; — partie de to form a part of, belong to; — sauter to knock off; — signe à to signal, make signs to; — sortir to knock out; — tenir to send; — venir to send for; se — to become; be done; make oneself; bien fait well-formed; *see* si

fait *m.* fact, matter, case

falloir to be necessary; il s'en faut de peu que . . . ne nearly, almost

fameux, -se famous, celebrated

familier *m.* attendant, familiar, member of household

fatiguer to tire; se — to get tired

fauve tawny; *see* bête

fée *f.* fairy

feindre to pretend, feign

félonie *f.* treason

femme *f.* wife, woman
fenêtre *f.* window
fer *m.* iron
fermer to close, shut
féru smitten
festin *m.* feast, banquet
fête *f.* feast, celebration; *see* faire
feuillage *m.* foliage, leaves
feuille *f.* leaf
fidèle faithful, loyal
fief *m.* fief
fieffé *m.* liegeman, vassal, feudatory
fier, fière proud, haughty
fil *m.* thread
filer to spin, weave
fille *f.* daughter, girl, maiden
fillette *f.* little girl, lass
filleule *f.* god-daughter
fils *m.* son
fin *f.* end; à la — finally; sur ses —s exhausted, ready to give up; *adj.* fine, pure, delicate, lovely
finir to end, finish, conclude; en — avec to finish with, get rid of; est-ce fini is that all?
fiole *f.* phial, little bottle
fixer to fix, set, appoint
flamme *f.* flame
flanc *m.* side
flanquer to flank
fleur *f.* flower, blossom, bloom; — de lys, — de lis lily
fleurir to bloom, thrive, blossom

flûte *f.* flute
foi *f.* faith, trust, word of honor; ma — in faith, upon my word; par ma —, sur ma — upon my word, indeed; *see* mentir, mettre
fois *f.* time; une — once; une — que when once; encore une — once again
foison *f.* plenty; à — in abundance
folie *f.* folly, foolishness; madness; *see* tenir
fond *m.* bottom, back, depth
fontaine *f.* fountain, spring
fonts *m. pl.* font; *see* tenir
force *f.* strength, force; à — de by dint of, by means of; — est it is necessary; *adj.* many, a great quantity of
forêt *f.* forest, woods
forger to forge, fashion
fors (*old*) except; — que except that
fort strong, vigorous, mighty; *adv.* very; hard, fast, steadily
fortune *f.* fortune, wealth
fortuné fortunate, happy
fossé *m.* moat
fou, fol, folle wild, mad, crazy
fougère *f.* fern
fouiller to search
foule *f.* crowd
fourberie *f.* knavery, cheating
fournir to furnish, supply
fourrure *f.* fur
frais, fraîche fresh, rested, new

franc, franche noble, sincere, frank

français French; les Français the French

franchement frankly, freely

frapper to strike, strike down; overcome

fréquenter to frequent, attend

frère m. brother

frisé curled

froid m. cold

front m. forehead, brow

frotter to rub

fruit m. fruit

fût m. (old) trunk

G

gage m. pledge, token

gagner to earn, gain, win

gaillard vigorous, robust

gaîne f. sheath

Galles Wales

galop m. gallop; au — at a gallop

garant m. sponsor, voucher

garantir to protect, shield

garçon m. boy, lad

garde f. care; m. guard; see prendre

garder to keep, preserve; guard, watch over; — de to protect against or from; se — de to guard against, beware of; be careful not to

Garin Count of Beaucaire, father of Aucassin

gâteau m. cake

gauche left; à — to the left

Gauvain Sir Gawain (nephew of King Arthur and friend of Sir Launfal)

gazon m. sod, turf

gémir to moan, groan, lament

généreux, -se generous, liberal; see accueil

générosité f. generosity

genou m. knee; à —x on one's knees

gens f. people

gent f. (old) people; adj. comely, pretty

gentil, -le pretty, gentle

gentilhomme m. nobleman

gentiment graciously, nicely

gésir (old) to lie

gisait imperf. ind. of gésir

gîte m. lodging

gîter to lodge, put up

glacer to chill

gland m. tassel

glisser to slip, slide, creep

glu f. bird-lime

goatleaf see note to p. 47, 19

grâce f. grace, charm; pardon

gracieusement graciously, pleasantly, courteously

grand great, tall, big, large; see jamais, merci

grand'chambre f. large hall

grandement greatly, extremely

grand'fête f. great feast, great celebration; see faire

grand'peine f. great difficulty,

great trouble; à — with great difficulty

grand'peur *f.* great fear; *see* avoir

grand'pitié *f.* great pity

gravement gravely, grievously

grimper to climb, climb up

gris gray; *m.* gris (a costly fur)

gros, -se great, large, heavy

grossier, -ère coarse, crude

guère: ne . . . — scarcely, hardly, but little

guérir to cure

guerre *f.* war

H

* ha ah!

habiller to dress

habit *m.* garment; *pl.* clothes, robes

habiter to live, dwell

* haine *f.* hate, hatred

* haïr to hate

haleine *f.* breath; *see* prendre

* hameau *m.* hamlet

* hanche *f.* hip

* hardi bold, daring

* harpe *f.* harp

* harper (*old*) to play the harp

* hâtivement quickly, hurriedly, prematurely

* haut high, lofty; raised, upraised; en — on top; en — de on top of; jusqu'au plus — de to the very top of

* hé ha!

* heaume *m.* (*old*) helmet

héberger to receive, entertain; lodge

hélas alas!

herbe *f.* grass; herb

héritier *m.* heir

hermine *f.* ermine

heure *f.* hour, time; o'clock; à cette — at the present moment; at that very moment; sur l'— that very instant; tout à l'— a little while ago

heureux, -se happy

* heurter to strike, hit; se — à to strike against

* hideux, -se hideous

histoire *f.* story

homme *m.* man; —s d'armes men-at-arms; —s de cheval horsemen; —s de pied footmen; — lige liegeman

honnête proper, fine; courteous

honneur *m.* honor

* honnir to dishonor

honorablement honorably

honorer to honor, do honor to

* honte *f.* shame; *see* faire

* hors de out of, outside of; *see* mettre

hôtel *m.* dwelling, residence; palace

* houseaux *m. pl.* spatterdashes, gaiters

huis *m.* (*old*) door

* huit eight

humble humble, lowly

humblement humbly
* hutte *f.* cabin

I

ici here; d'— là between now
and then, by that time; d'—
à peu de temps in a short
time from now
ignorer to be ignorant of, not
to know
il he, it
île *f.* island, isle
ils they
image *f.* picture
imaginer: s'— to imagine
impatient impatient
impératrice *f.* empress
implorer to implore, beseech
importer to matter; n'importe
où anywhere; par n'importe
quoi through anything; que
vous importe what does it
matter to you?
impossible impossible
improviste: à l'— suddenly, un-
· expectedly
impur impure, unclean
indigence *f.* poverty, indigence
inhumain inhuman, cruel
injurier to insult
inquiéter: s'— to worry, become anxious
instant *m.* moment; d'— en —
from time to time
instructif, -ve instructive
intention *f.* intention, purpose;

à bonne — with the best intention, well-meaning
intérieur *m.* inside, interior
interroger to question
irrité angry
irriter to anger
ivoire *m.* ivory
ivresse *f.* rapture

J

jadis formerly, once upon a
time
jamais never, ever; au grand —
never never; à — for ever
jambe *f.* leg
jardin *m.* garden
je I
Jésus *m.* Jesus
jeter to throw, cast; throw
away; utter, give forth
jeu *m.* play, game
jeun: à — fasting
jeune young
jeûner to fast
jeunesse *f.* youth
joie *f.* joy, happiness, merriment; belle — a glorious time,
great merriment; great joy; à
grande — with great joy;
see mener
joli pretty
jongleur *m.* minstrel, bard
jouer to play; — de to play (a
musical instrument)
joueur *m.* player

jouissance *f.* enjoyment, pleasure

jour *m.* day, day-light; de —, le — in the day-time; un — some day; one day; quelqu'un de ces —s one of these days; *see* mener

jouvenceau *m.* lad

jouvencelle *f.* lass, young girl

joyeux, -se joyful, happy

juge *m.* judge

jugement *m.* judgment, trial, sentence

juger to judge, imagine

jurer to swear, swear to

jusque as far as, up to; — -là until then; jusqu'à until; to, as far as, up to, to the very; jusqu'à ce que until; *see* haut, moitié

justaucorps *m.* close coat, jerkin

juste right, just

justifier to justify, vindicate

K

Kardœil Carlisle (home of King Arthur)

L

la, l' her, it; *art.* the

là there, here; par — that way; *see* dedans, ici, jusque

là-bas down there, over there

lacer to lace, tie

lacet *m.* snare, noose

lacs *m.* toils (net or snare set to catch prey)

là-haut up there

lai *m.* lay (a short narrative song or poem)

laid ugly

laidement meanly, vilely

laisser to leave, let, let go, allow; — là to abandon, give up; se — voir to allow oneself to be seen

lamenter: se — to lament, moan

lance *f.* lance, spear

lancer to throw, hurl

langage *m.* language, speech

langue *f.* tongue

Lanval Sir Launfal (one of the knights of the Round Table)

large wide; generous

largement abundantly, copiously, freely

las, -se tired, weary; *interj.* (*old*) alas!

lasse (*old*) alas!

laüstic *m.* (*Breton*) nightingale

laver to wash

Lavinia *daughter of Latinus and wife of Æneas*

le, l' him, it; *art.* the

léger, -ère light, agile

lent slow

lentement slowly

lequel, laquelle which, what

les them; *art.* the

104

lettre *f.* letter; character

leur, leurs their; *conj. pron.* to them

lever to raise; se — to rise, arise, get up

lèvre *f.* lip

lévrier *m.* greyhound

libre free

lier to tie, bind

liesse *f.* (*old*) joy, cheer

lieu *m.* place

lieue *f.* league

lige liege

lignée *f.* lineage

Limousin *m.* Limosin (province of old France lying in a region northeast of Bordeaux)

lin *m.* flax; de — linen

lion *m.* lion

lire to read

lis *m.* lily; *see* fleur

lit *m.* bed

livre *f.* pound (equal to twenty sols)

Loengre *western part of England*

logis *m.* dwelling, house

loin far, far away; — de far from; au — far, afar; de — en — wide apart, at a distance from each other; d'aussi — que from wherever, from any place no matter how far

lointain distant, far away

loisir *m.* leisure

long, -ue long; le — de along, through; *see* ombre

longtemps a long time, long; bien — a very long time; depuis trop — for too long a time

longuement a long time

lorsque when

louange *f.* praise

louer to hire; praise

loup *m.* wolf

loyalement faithfully

loyauté *f.* honesty, fairness avec — truly, faithfully

lui he, him; himself, he himself; to him, to her

luire to shine

lumière *f.* light

lune *f.* moon

lys *m.* (*old*) lily; *see* fleur

M

ma *see* mon

madame *f.* her ladyship, my lady

magnifique magnificent

mai *m.* May

maille *f.* (*old*) old coin equal to half a *denier*

main *f.* hand

main-forte *f.* assistance

maint many, many a

maintenant now

maintenir to maintain, uphold, defend

maintien *m.* bearing, manners

mais but

maison *f.* house, home, household

maître *m.* master, lord

maîtresse *f.* mistress

majesté *f.* majesty

mal *m.* evil, trouble, ill, harm, pain, illness; — **en point** in a bad plight; *adj.* (*old*) evil, miserable

malade sick, ill

malheur *m.* misfortune, unhappiness; — **à** woe to

malheureux, -se unhappy

malsain unhealthy

manchot *m.* one-armed person

mander (**à**) to summon; acquaint with, inform of; announce, proclaim

manger to eat

manier to handle, touch, treat

manquer to fail

mante *f.* mantle, cloak

manteau *m..* mantle, cloak

marbre *m.* marble

marc *m.* mark (weight equal to eight ounces); — **d'or** pound of gold; **Marc** Mark (King of Cornwall)

marcher to walk; proceed, go ahead

marguerite *f.* daisy

mari *m.* husband

Marie *f.* Virgin Mary

marier to marry; **se —** to get married

marinier *m.* mariner

marri (*old*) grieved, sad

martyre *m.* martyrdom, torture

massue *f.* club, cudgel

matelas *m.* mattress

matière *f.* subject, reason

matin *m.* morning; **au —** in the morning

maudire to curse; **maudit** cursed

mauvais bad

me me, to me, for me

méchamment spitefully, maliciously

méchant wicked, malicious; naughty; wretched

mécréant *m.* unbeliever, infidel

méfaire to do evil, act basely

meilleur better; **le —** best

mêlée *f.* fray, conflict

membre *m.* limb

même same, self; even; *see* **faire**

mémoire *f.* memory

mémorable memorable

menacer to threaten

mener to lead, take; — **deuil** (*old*) to show grief; — **une grande douleur** (*old*) to show great sorrow; — **joie** (*old*) to have *or* show happiness *or* joy; — **de longs jours** to live a long time

mensonge *m.* lie, falsehood

mentir to lie; — **à la foi jurée** to prove false to one's oath, break one's faith

menu small, tiny

mer *f.* sea

106

merci *m.* thanks; grand —
many thanks; *f.* mercy, pity;
see Dieu

mère *f.* mother

merveille *f.* wonder, marvel; à
— marvellously, perfectly;
c'est — it is a wonder

merveilleusement wondrously

merveilleux, -se marvellous,
wonderful, wondrous

mes *see* mon

mésaise *m.* (*old*) discomfort,
inconvenience

message *m.* message; *see* faire

messager *m.* messenger

mesure *f.* measure, moderation,
limit; sans — beyond all
measure, without restraint

mettre to put, place; se — à to
begin to; se — dans to betake
oneself to; se — en campagne
to set forth on adventure; —
foi en to confide in; se —
— en peine de to trouble oneself about, worry about; —
le pied à l'étrier to mount;
— le pied hors de l'étrier to
draw one's foot from the
stirrup; — à rançon to set a
ransom upon, make pay a
ransom; se — à la recher-
che de to set out to look for;
se — en route to set out,
start; se — en selle to get
upon one's saddle

meurtrir to bruise

midi *m.* noon

mie *f.* (*old*) love, dear one,
sweetheart; *adv.* ne . . . —
(*old*) not

mien, -ne mine

mieux better; le — best; de
mon — to the best of my
ability; *see* aimer, valoir

mignon, -ne pretty, lovely

mi-hauteur: jusqu'à — de half
way up

milieu *m.* middle, midst; au —
de in the midst of; in the
middle of; par le beau —
de right straight through,
through the very middle of

mille thousand, a thousand

mince slender, slim

mine *f.* mien, countenance

misérable wretched, miserable

misère *f.* poverty, misery,
wretchedness

moi me; I

moi-même myself

moindre less; le — the least,
the most insignificant

moine *m.* monk

moins less; au —, du — at
least; à — que unless

mois *m.* month

moitié *f.* half; jusqu'à — half
way

moment *m.* moment, instant

mon, ma (mes *pl.*) my

monde *m.* world; au — in the
world

mont *m.* mount, mountain

montagne *f.* mountain

monter to mount, climb, rise, rise up, go up; — à cheval to mount, get on a horse; — sur to mount, get on; — à l'étrier to mount; *see* faire

montrer to show; — semblant de to make a show of

monture *f.* horse, mount

moquer: se — de to make fun of

morne gloomy, dejected

mort *f.* death

mortel, -le mortal, deadly

mot *m.* word; *see* dire

mourir to die; *see* aller, faire

mousse *f.* moss

moyen *m.* way, means; par quel — how

mule *f.* mule

munir to provide, supply

mur *m.* wall

mûr ripe, mature

muraille *f.* wall, rampart

N

naguère not long ago

naître to be born

nappe *f.* (*old*) towel

nasal *m.* (*old*) nose-piece

naviguer to sail

navire *m.* ship, vessel

navré broken-hearted, heart-broken

navrer (*old*) to wound

ne not

neige *f.* snow

nenni (*old*) no, no no

neuf, -ve new; de — in new clothes

Neustrie *f.* Neustria (kingdom of the western Franks)

neveu *m.* nephew

nez *m.* nose

ni nor; — ... — neither ... nor

Nicole *daughter of the Saracen king of Cartagena*

Nicolette *diminutive of* Nicole

noble noble

nœud *m.* knot

noir black; gloomy; tout en — all black

nom *m.* name; *see* avoir

nommer to name, call

non no; not

Normandie *f.* Normandy (former province of northern France)

nos *see* notre

notre (*pl.* nos) our

nôtre ours

Notre-Seigneur *m.* our Lord

nouer to tie, bind

nourrir to feed, nurture

nous we, us, to us, ourselves

nouv-eau, -elle new, fresh, new-blown; nouvelle *f.* news

nu naked, bare

nuit *f.* night; de — in the night-time; la — in the night; — tombante night-fall

nul no one, nobody; *adj.* no, not any, any

108

O

O, ô Oh!
obscur dark
observer to observe
occire (*old*) to kill
Octavian (*old*) Octavius (Augustus Cæsar, first Roman Emperor, B. C. 27–A. D. 14)
octroyer (*old*) to grant
œil *m.* eye; *pl.* **yeux; de ses yeux** with his eyes
œuvre *f.* work, piece of work
offense *f.* offense
oindre to annoint, smear
oiseau *m.* bird
oiselet *m.* (*old*) little bird
oisillon *m.* little bird
ombre *f.* shade, shadow; **le long de l'—** along the shaded side
on, l'on one, they
or *m.* gold; *adv.* now; *see* **máro**
ordonner to order
ordre *m.* order
orgueil *m.* pride, spirit
orpheline *f.* orphan
orteil *m.* toe, big toe
os *m.* bone
oser to dare
ou or; **— . . . —** either . . . or
où where, in which, on which; when; **d'—** whence, from which; **par —** through which; *see* **importer**
oublier to forget; **s'—** to forget oneself
oui yes, ay

ouïr (*old*) to hear; **— dire** to hear, hear say; **— parler de** to hear of
outrager to outrage, insult
outre by, beyond
ouvrir to open; *see* **tenir**

P

païen *m.* pagan, heathen
paille *f.* straw
pain *m.* bread
pair *m.* peer, equal
paître to graze, feed
paix *f.* peace
palais *m.* palace
palefroi *m.* palfrey (horse used for riding when not in arms)
pâmé in a swoon, in a faint
pâmer: se — to swoon, faint
pâmoison *f.* swoon, fainting fit
pan *m.* lappet, strip, piece, fold
par by, through, out of, throughout; *see* **importer, là, où**
paradis *m.* paradise, heaven
parage *m.* lineage, birth, degree
paraître to appear, seem
parce que because
par-dessus above, on top
pardonner to pardon, forgive
pareil, -le like, such a
parent *m.* relative
parentage *m.* relations, kin
parente *f.* relative
parer to adorn
parfait perfect

parfaitement perfectly
parler to speak; *see* ouïr
parmi among
parole *f.* word; promise; talk, words
parrain *m.* god-father
part *f.* part, share; à — aside, to the side; d'autre — on the other hand; de la — de in the name of, on the part of; de notre — on our part, from us; de sa — from her; de toutes —s from all sides, from every direction, from everywhere
partie *f.* part; *see* faire
partir to leave
partout everywhere
parvenir to arrive
pas *m.* step, stride; d'un — with a step; à grands —with long strides; en si mauvais — in such a bad plight; au petit — slowly, with slow steps; *adv.* not
passage *m.* passing, way; à son — on her way, as she passes
passer to pass, pass by; spend; put on, slip on; — son chemin to go one's way; en — par là to submit to it, put up with it; se — to be spent, passed
pastoureau *m.* shepherd-boy
pauvre poor
pavillon *m.* tent
payer to pay, pay for

pays *m.* country, land
paysan *m.* peasant
peindre to paint, to color
peine *f.* sorrow, anxiety; difficulty; à — si scarcely; sous — de under penalty of; *see* grand'peine, mettre
peiner to grieve, pain
pèlerin *m.* pilgrim
pendant during; — que while
pendre to hang
péniblement laboriously, with difficulty
pensée *f.* thought
penser (à) to think (of)
pensif, -ve thoughtful, pensive
pente *f.* slope
Pentecôte *f.* Pentecost (festival commemorating descent of Holy Ghost among disciples; fifty days after Easter)
perdre to lose; waste
père *m.* father
personne *f.* person; ne ... — nobody, not anybody
peser to be a burden, bother
petit little; toute —e while quite small
peu little; un — a little, somewhat; un — de a little; — de little, few; *see* assez, falloir
peuple *m.* people; common people, multitude
peur *f.* fear; *see* avoir
peut-être perhaps, maybe
physique *f.* (*old*) medicine
Pictes *m. pl.* Picts (a people

who inhabited Great Britain
from prehistoric times)

pièce *f.* piece

pied *m.* foot; *see* **doigt, homme,
mettre, sauter, sergent**

piège *m.* trap; *see* **prendre**

pierre *f.* rock, stone

pieu *m.* stake, stick

pilier *m.* pillar, post, column

piller to plunder, pilfer

pipeau *m.* shepherd's pipe

piquer to spur

piquet *m.* stake

pitié *f.* pity; *see* **prendre**

Pitres *chateau and village on
the Seine a short distance
above Rouen; also called
Pistes*

Pitrois inhabitant of Pitres

place *f.* place; **sur —** on the
spot

placer to place, put

plaindre to pity; **se —** to complain

plaine *f.* plain

plainte *f.* complaint

plaire (à) to please; **plût au ciel
que** would to heaven that!

plaisant pleasant, agreeable

plaisir *m.* pleasure

planter to plant; drive in (the
ground); **planté** set, placed

plat *m.* dish

plein full, entire; **tout —** entire

pleurer to weep, cry; lament,
weep for, weep over

pleurs *m. pl.* tears

plus more; most; any more; **ne
. . . —** no longer, not any
more; **le —** most, the most,
the greatest; **au —** at the
most; **ne . . . — que** no longer anything but; **— . . . —**
the more . . . the more; *see*
pouvoir, rien

plusieurs several

plutôt rather

poète *m.* poet

poignée *f.* handful; **à —** by the
handful

poindre (*old*) to sting

poing *m.* fist, closed hand

poin *m.* point; **en tout —** in
every way; **au — que** to the
extent that; **ne . . . —** not at
all; *see* **besoin, mal, poindre**

poitrine *f.* breast, chest

port *m.* port, harbor

porte *f.* gate, gateway, door; **—
de derrière** postern gate

portée *f.* range, reach, shot; **—
d'arbalète** bowshot

porter to carry, bear, take; wear

posséder to own, possess; come
into possession of

possible possible

pour *prep.* for, to, in order to,
as, as to; **— ce** for that reason; **— que** in order that, so
that; **— si + *adj.* + que**
however + *adj.*

pourchasser to pursue, seek
eagerly

pourpre *f.* purple

111

pourquoi why

pourtant yet, however

pourvu que provided that

pousser to grow, shoot forth

pouvoir to be able; can, may; ne — que to not be able to help; n'en — plus to be worn out, be unable to hold out any longer; se — to be possible; *m.* power; de tout leur — with all their power

prairie *f.* large meadow

pratiquer to practice

pré *m.* meadow

précaution *f.* precaution

précieux, -se valuable, precious

précis exact

premier, -ère first

prendre to take, take up; partake; catch, seize; overtake, overcome; — à to take away from; se — à to begin to; cling to, take hold of; — congé (de) to take leave (of), say farewell (to); — son élan to take a jump; — garde à to look out for, take care of; — garde de to take care to; — garde que to take care that; — haleine to take one's breath, stop to rest; — au piège to trap, catch in a trap; — pitié de to take pity on; — à témoin to call to witness

préparer to prepare, make ready

près de near, close to, beside, at

or to the side of; de tout — very closely

présence *f.* presence

présent *m.* gift, present; *adj.* present, in attendance

présenter to present, offer; se — to appear; present oneself

presser to urge; se — to crowd

prêt ready

prétendre to intend, intend to do; desire; claim

prêter to lend, give, ascribe

prêtre *m.* priest

preuve *f.* proof

preux *m.* valiant, gallant knight; *adj.* valiant, gallant

prévenir to warn

prévoir to foresee

prier to beg, entreat; pray to

prière *f.* prayer, entreaty

prime *f.* prime (the second of the seven canonical hours, i. e., 6 A. M.)

primer to excel; — sur to come ahead of

prince *m.* prince

priser to esteem, value

prison *f.* prison

prisonnier *m.* prisoner

priver to deprive, cut off

prix *m.* prize

proche close

procurer: se — to secure, obtain

prodige *m.* prodigy

prodiguer to lavish, throw away

profit *m.* profit, gain

112

profond deep

promenade *f.* ride; en — on a ride

promesse *f.* promise

promettre to promise

prompt quick

prononcer to pronounce, declare; speak; pass sentence

propos m. remark

proposition *f.* proposition, proposal

propre own

protéger to protect

prouesse *f.* prowess, feats, exploits

Provence *f. old province in the southeast of France bordering on the Mediterranean*

prude (*old*) noble

prudent wise, prudent

prud'homme *m.* (*old*) man of honor, good and true man

pucelle *f.* maid, maiden

puis then

puisque since

puissance *f.* power

puissant powerful, mighty

pur pure

Q

qualité *f.* quality

quand when; inasmuch as

quant à as to, as for

quartier *m.* block

quatre four

que which, what, whom; *conj.*

that, as, so that; *adv.* than, as; ne ... — only; — ... ou whether ... or; see qui

quel, -le what

quelconque any; une — de any one of

quelque some

quelqu'un someone, some one; anyone; quelques-uns some; *see* jour

querelle *f.* quarrel, wrangling

quereller to quarrel with

quérir (*old*) to look for, get; — une aide to get help

qui who, whom, whoever, which, he who, him who, anyone who; — que whoever

quiconque whoever

quinze fifteen

quitte free, clear; *see* tenir

quitter to leave

quoi what; de — the wherewith, the means; — que whatever; *see* importer, servir

R

rabattre (de) to lower; bring down the price (of), have reduced

racheter to buy back; pay for; ransom

racine *f.* root

raconter to tell, relate

rafraîchir to refresh, revive

raisin *m.* grapes

rameau *m.* branch

ramener to bring back, take back

rampe *f.* baluster, railing

ramper to crawl

rançon *f.* ransom; *see* mettre

rang *m.* rank, position

rapide swift, fast

rappeler to call back

rassembler: se — to gather together again

ravager to lay waste, plunder

ravir to delight; carry away; — à to take away from, snatch away from; à — marvellously

recevoir to receive, admit, welcome

recherche *f.* search, pursuit; à la — de in quest of, in pursuit of; *see* mettre

récit *m.* story, account, narrative

recommander to recommend, commend

recommencer to begin again

réconforter to strengthen

reconnaître to recognize, admit; se — to know where one is

recouvrer to regain, get back, recover

redire to say again, repeat

redouter to fear

réduit *m.* nook, retreat

réfléchir to reflect, think; — à to reflect about, think of

réflexion *f.* reflection, thought

regard *m.* look, glance

regarder to look, look at

régner to reign, hold sway

regret *m.* regret; *see* avoir

regretter to regret, long for, languish after

reine *f.* queen

rejeter to throw back

réjouir: se — to rejoice, make merry

réjouissance *f.* rejoicing, merry-making

relevée *f.* afternoon

relever to lift up, raise; se — to get up again, rise again

remarquer to notice, note, observe

remède *m.* remedy, help

remercier (de) to thank (for)

remettre to deliver, hand over; se — à to take up again; go back in

remonter to go up again, climb up again

remplir to fill

remporter to bring back

rencontre *f.* meeting; à leur — to meet them

rencontrer to meet

rendre to make; return, give back; — visite to pay a visit, call upon; se — to go, betake oneself

rêne *f.* rein

renfermer to shut up, confine, close in

renommée *f.* fame, renown

renoncer (à) to give up, renounce

renouveler to renew, revive

rentrer to go home, return

renverser to overturn, upset; se — to bend back

répandre to spread, strew; se — to spread

réparer to repair, mend

répondre to answer, reply; — de to answer for, be responsible for

repos *m.* rest; en — at rest

reposer to rest; — sur to rest with, depend on; se — to rest, linger

reprendre to resume, take up again

reproche *m.* reproach, blame

requérir to ask; — d'amour to seek the love of, make love to

requête *f.* request

respirer to breathe, catch one's breath

resplendir to shine brightly

reste *m.* rest; au — besides

rester to remain, stay

retard *m.* delay

retenir to keep back, detain

retirer to derive, reap, get; — à to take away from; se — to withdraw, retire

retomber to fall back again

retour *m.* return

retourner to return, go back; s'en — to go back again, turn back

retraite *f.* retreat, recess, hiding place

retrouver to find again

rêts *m.* net, snare

réussir to succeed

revenir to come back; s'en — to come back again

revenus *m. pl.* income

rêver (à) to dream (of)

reverdir to become green again

revêtir: se — de to dress in

revoir to see again

riant laughing

riche rich, fine

richement abundantly

richesse *f.* wealth

rien nothing, anything; — autre nothing else; plus — nothing more; — de plus nothing more

riposte *f.* quick reply; à la — in replying

ris *m.* laugh

risquer to risk, hazard

rivage *m.* shore, beach

rivière *f.* river, stream

robe *f.* robe, gown, frock, dress

roi *m.* king

roide steep

rompre to break, break open

ronce *f.* briar, bramble

roncin *m.* (*old*) pack horse

rond round

rose *f.* rose

rosée *f.* dew

rossignol *m.* nightingale

Rouget *diminutive of* Rouge, *name of an ox*

rouler to roll, roll up

route *f.* road, way; *see* mettre
royaume *m.* kingdom
rudement terribly, cruelly, hard
rue *f.* street
ruiner to ruin, lay waste
ruisseau *m.* stream, brook
rumeur *f.* rumor, murmur

S

sa *see* son
sabre *m.* sword
saccager to plunder, pillage
sage good, modest; wise
sagement discreetly
sagesse *f.* wisdom
sain healthy, sound; — et sauf
   safe and sound
Saint-Jean: fête de — feast of
   Saint John (Baptist), (June
   24th)
Saint-Malo *city on the northern coast of Brittany*
saisir to seize, grasp; se — de
   to seize, lay hold of
sale dirty, filthy
Salerne Salerno (city on the
   western coast of Italy, south
   of Naples)
salle *f.* hall
saluer to greet, bow to
salut *m.* bow
samit *m.* samite (heavy silk in-
   terwoven with gold)
sang *m.* blood
sangler to strap on

sanglier *m.* wild boar
sans without; — que without
Sarrasin *m.* Saracen
sarrau *m.* smock
sauf safe; *adv.* save, except;
   see sain
sauter to jump, leap; — en
   pieds to jump to one's feet;
   see faire
sauvage wild, savage, uncivil-
   ized
sauver to save
savant learned
savoir to know, know how, be
   able, find out, know of; sau-
   rais could; que sais-je what
   do I know, how do I know?
sceller to seal, seal up
se himself, herself, itself, themselves; each other, to each
   other
secours *m.* help, succor
secret *m.* secret; *adj.* secret,
   hidden
seigneur *m.* lord; *see* Notre-
   Seigneur
seigneurie *f.* domain, lordship
sein *m.* bosom, heart
Seine *f. large French river
   which flows into the English
   Channel*
séjour *m.* stay, sojourn, abode;
   au noble — of noble abode
séjourner to stay, live
selle *f.* saddle; *see* mettre
seller to saddle
selon according to

116

semblablement similarly, likewise

semblant *m.* appearance, show; *see* montrer

Sémiramis *a mythical queen of Assyria famous for building great cities and for her beauty*

sens *m.* sense, understanding

sentence *f.* sentence, verdict, judgment

sentier *m.* path

sentinelle *f.* sentinel

sentir to feel; se — to feel, feel oneself, know oneself to be

séparation *f.* separation, partition

séparer to separate; se — to separate, part

sept seven

sergent *m.* squire; — à pied footman; — à cheval horseman

serment *m.* oath

sermonner to lecture, preach to

serpent *m.* serpent, snake

serrer to press, press close; wrap tightly

servante *f.* maid, servant

service *m.* service

servir to serve; à quoi sert de what is the use of?

ses *see* son

seul single, alone, only

seulement only

seulet, -te all alone, by one's self

si if whether; so, such; — fait oh yes, yes indeed; — que so that, with the result that; — ce n'est except; *see* bien, pour

siècle *m.* (*old*) world

siéger to sit

sien, -ne his, hers, its, of hers; les —s his own people; un — . . . one of her . . .

signe *m.* sign, mark; *see* faire

signifier to declare, indicate

simplement simply, plainly

sinon except, but; — que except that

sire *m.* sir; lord; my lord

sitôt que as soon as

situation *f.* situation

sœur *f.* sister

soi oneself; chez — home, to his home

soie *f.* silk

soierie *f.* silk; silk hanging

soif *f.* thirst

soin *m.* care, concern

soir *m.* evening

soit *see* être

sol *m.* (*old*) cent (old coin equal to twelve *deniers*)

soldat *m.* soldier

soleil *m.* sun, sun-shine

solide solid, strong

sombre dark, gloomy

somme *f.* sum, amount

sommeil *m.* sleep

sommet *m.* top

son, sa (ses *pl.*) his, her, its, of him, of her

songer (à) to think (of)

sorte *f.* kind, sort; de la —
thus, in that way; en — que,
de — que so that, with the
result that

sortir to leave, go out, come
out, get away, come forth; *see*
faire

sot, -te foolish

souci *m.* care, worry; mon —
my love; *see* avoir

soucieux anxious, worried

soudain suddenly, unexpected-
ly, right away

souffle *m.* breath, breathing

souffrir to suffer, allow

souhaiter to desire, hope for

soulager to relieve, help

soulever to raise, lift up

soulier *m.* shoe

soupçonner to suspect

souper *m.* supper

soupirer to sigh

sourcil *m.* eye-brow

sourire to smile; *m.* smile

sous under, below, beneath

soutenir to carry on

souterrain *m.* underground cell,
dungeon

Southwales South Wales

souvenir: se — de *or* que to
remember, call to mind; il lui
souvient de he *or* she remem-
bers; *m.* memory

souvent often

splendeur *f.* splendor

suffire (à) to suffice, be enough,
sufficient (for)

suite *f.* retinue; à sa — after
him

suivante *f.* maid-in-waiting

suivre to follow

superbe proud, haughty, arro-
gant

supplier to beg, implore

supporter to stand, endure

sur on, upon, over, above, on
to, at; with

sûr sure

sûrement surely

sûreté *f.* safety

surplus: au — besides

surprendre to surprise, catch

surprise *f.* surprise

T

ta *see* ton

table *f.* table; **Table Ronde**
Round Table (a circular marble table at which King Arthur and his knights used to
sit; also, the knights of King
Arthur collectively); *see* tenir

taciturne silent, taciturn

tailler to cut, carve

taire: se — to become silent,
keep silent

talus *m.* slope

tandis que whereas, while

tant (de) so, so much, so many;
so well; — et — so much; —
que as long as, until; so much
that; — ... que as much
... as, both ... and

118

tante *f.* aunt

tantôt a little while ago

tapis *m.* carpet, rug

tapisser to deck, adorn

tard late

tarder to delay; — à to be long in, delay in; il lui tarde de he longs to

tâter to feel

te thee, to thee

teint *m.* complexion

tel, -le such, such a; many a one

témoin *m.* witness; *see* prendre

temps *m.* time; le — de long enough to; au — où at the time when; le — de l'été summer time; *see* ici

tendre to stretch, spread, hang

tendresse *f.* love, tenderness

tenir to keep; have, hold, consider; se — to stand; se — pour to consider oneself as; — chaud à to keep warm; — au cœur à to lie heavy on the heart of, lie close to the heart of; — sur les fonts to stand god-father to; — à grande folie to consider a great madness; — quitte de to release from; — table ouverte to keep open house; tiens, tenez here! see here!; *see* faire

tente *f.* tent

terme *m.* end

terre *f.* land, country; à — to

the ground, on the ground; par — on the ground

terrible terrible

territoire *m.* territory

tes *see* ton

tête *f.* head

tien, -ne thine

tierce *f.* terce (the third of the seven canonical hours, i. e., 9 A. M.)

tiers *m.* third

Tintagel *cape on the west coast of Cornwall, site of the castle of King Mark and reputed birth-place of King Arthur*

tirer to draw

toi thou, thee

toile *f.* canvas, cloth

tomber to fall; — sur to come upon; *see* nuit

ton, ta (tes *pl.*) thy, of thee

tordre to twist, wring

tort *m.* wrong; à — wrongly; *see* avoir

tôt soon

toucher to affect, move, touch

toujours always, ever; still

tour *f.* tower

tourment *m.* torment, anguish

tourmente *f.* storm, tempest

tourmenté uneasy, worried

tourner to turn; se — to turn, turn over

tournoi *m.* tourney, joust, tournament

tout (tous *m. pl.*) all, every, any, whole; *m.* everything;

adv. quite; du — at all; **tous**
everybody, all; **tous deux,
toutes deux** both; *see* **abord,
bas, chose, comme, compter,
coup, droit, enfant, entier,
heure, noir, plein**

trace *f.* foot-step, trail, trace; **à
la — de** by the trail of

trahir to betray, deceive

traîner to drag, drag on; lead

traîtreusement treacherously

tranquille calm, quiet

travers: à — through

trembler to shake, quake, tremble

trente thirty

trépas *m.* death

très very

tresse *f.* tress

Tristan *nephew of King Mark
and hero of the legend of
Tristan and Iseut*

triste sad, unhappy; gloomy

tristement sadly

tristesse *f.* sadness

trois three

trône *m.* throne

trop too; too much

trotter to trot; — **l'amble** to
amble

trou *m.* hole

trouble m. perplexity, uneasi-
ness

troubler to disturb, bewilder,
perplex

troupe *f.* troop, band

trouver to find, come upon; **se**

— to be; find oneself; **bien
trouvé** luckily found, happily
recovered

tu thou

tuer to kill

tuerie *f.* slaughter

tumeur *f.* tumor, sore

U

un a, one; **l'—** one; **les —s** some

unique sole, only

usage *m.* custom, manner

usé worn, worn out

user to wear; **en — avec** to
treat

V

vache *f.* cow

vaillant valiant, brave, noble

vain vain; **en —** in vain

vaincre to conquer, overcome

vair *m. (old)* vair (a kind of
fur); *adj.* sparkling; *see note
to p. 69, 30*

vaisseau *m.* vessel, ship

vaisselet *m. (old)* small recep-
tacle, small vessel

val *m.* vale, valley; *pl.* **vaux**

Valence *city on the Rhone
about half-way between Lyons
and Avignon*

valet *m.* man-servant; *(old)*
youth

valeur *f.* valor, courage; value

valoir to be worth; — mieux to be worth more; mieux vaut it is better

vanter: se — to boast

vanterie *f.* boast, boasting

varlet *m.* varlet, page

vase *f.* vessel

vassal *m.* vassal

vautrer: se — to roll around

vaux *see* val

veiller to watch, keep watch; stay awake

veine *f.* vein

vendre to sell

venir to come; — de to have just; — à to happen to; come to; — en aide à to come to the help of; s'en — to come forth, come away; *see* faire, voici

ventre *m.* stomach, body, bosom

Vénus *f.* Venus (goddess of beauty)

vêprée *f.* (*old*) even-tide, evening

verger *m.* orchard

véritable true, real

vérité *f.* truth; *see* être

vermeillet, -te (*old*) red, rosy, ruby

vers *m.* verse, line; *prep.* towards, to

vert green

vertige *m.* dizziness; fit of madness

vertu *f.* virtue, property

vêtement *m.* clothes, clothing

vêtir to dress

viande *f.* meat

vicomte *m.* viscount

vicomtesse *f.* viscountess

vie *f.* life; en — alive

vieillard *m.* old man

vieller to play the vielle, play the viol

vieux, vieil, vieille old; la vieille the old woman

vif, vive alive; violent, intense, quick, spirited

vigoureux, -se strong, robust

vigueur *f.* vigor, strength

vilain ugly, vile; *m.* (*old*) peasant

vilenies *f. pl.* abuse, offensive words

ville *f.* city

vin *m.* wine

vingt twenty

viole *f.* viol

visage *m.* face, countenance

visite *f.* visit; *see* rendre

visiter to visit

vivant living, alive

vivre to live

voi (*old*) 1st sing. pres. ind. of voir; *see* note to p. 32, 17

voici here is, here are; — venir here comes, here come; — que behold

voie *f.* road, way; en meilleure — in a better position

voilà there is, there are; le — there he is; — ... que + pres. ind. for + past perfect voile *f.* sail

voir to see; *see* laisser

voisin *m.* neighbor; *adj.* neighboring, near

voisinage *m.* vicinity

voix *f.* voice; à — douce in a sweet voice

volonté *f.* will

volontiers gladly, with pleasure

vos *see* votre

votre (vos *pl.*) your, of you

vôtre yours

vouloir to wish, be willing; — bien to be willing; *m.* will

vous you, to you, yourself, yourselves, to yourself

vous-même yourself

voûte *f.* vault, arch

voûté vaulted, arched

voyager to travel

vrai true; *see* dire

vraiment truly, really

Y

y in it, on it, at it, through it; here, there

yeux *see* œil